L'ESCOUADE FIASCO

Les éditions de la courte échelle inc.
160, rue Saint-Viateur Est, bureau 404
Montréal (Québec) H2T 1A8
www.courteechelle.com

Révision : Mélanie Roussety-Guégan
Illustrations : Marianne Dubuc

Dépôt légal, 4e trimestre 2013
Bibliothèque nationale du Québec

La courte échelle reconnaît l'aide financière du gouvernement du Canada par l'entremise du Fonds du livre du Canada pour ses activités d'édition. La courte échelle est aussi inscrite au programme de subvention globale du Conseil des arts du Canada et reçoit l'appui du gouvernement du Québec par l'intermédiaire de la SODEC.

La courte échelle bénéficie également du Programme de crédit d'impôt pour l'édition de livres — Gestion SODEC — du gouvernement du Québec.

Catalogage avant publication de Bibliothèque et Archives nationales du Québec et Bibliothèque et Archives Canada

Champagne, Julie, 1981-
L'escouade Fiasco
Sommaire : t. 1. Le demi-dieu aux bas blancs.
Pour les jeunes de 12 ans et plus.
ISBN 978-2-89695-677-7 (vol. 1)
I. Champagne, Julie, 1981- . Demi-dieu aux bas blancs. III. Titre. IV. Titre : Le demi-dieu aux bas blancs.

PS8605.H351E82 2013 jC843'.6 C2013-941486-X
PS9605.H351E82 2013

Imprimé au Canada

L'ESCOUADE FIASCO

LE DEMI-DIEU AUX BAS BLANCS

TOME 1

Julie Champagne

la courte échelle

À ma grande amie Marie-France
Qui m'a appris à rire de la vie
Dans ses hauts comme dans ses bas…

AVERTISSEMENT

Ce roman est une pure fiction, mais il repose sur des humiliations bien réelles. Hélas.

JOUR 1

TOUS AUX ABRIS !

Seize minutes. Marisol me fait poireauter depuis seize longues et insoutenables minutes.

Depuis notre toute première rencontre, en classe de maternelle, ma meilleure amie se fait un devoir de bafouer les lois de la dimension temporelle. Vit-elle dans le fuseau horaire saturnien ? Est-elle membre d'une secte qui exige la destruction massive des montres et des cadrans ? Le mystère reste entier.

En temps normal, je ferme gentiment les yeux sur ses vilaines habitudes de retardataire. Ce soir, en revanche, je me sens beaucoup moins indulgente. Si ce n'était de sa loyauté indéfectible, et de sa grande souplesse quant aux emprunts vestimentaires, Marisol serait bonne pour la potence.

Laissez-moi vous brosser le tableau.

Je suis seule au front, barricadée dans une salle de bain hideuse qui fait la promotion de la vie maritime. Le rideau de douche aux motifs de voilier se marie parfaitement avec le filet de pêche qui encombre les murs. Même le parfum d'ambiance

« Plancton marin » contribue au concept en nous donnant le mal de mer.

De mon camp de retranchement, je peux entendre une quarantaine de jeunes inconnus crier leur bonheur. Impossible de les affronter sans renfort. Sur ma liste des pires cauchemars, me retrouver seule dans un party costumé se glisse tout juste entre la piscine remplie de tarentules et le bouton XXL un jour scolaire. Quand j'ai accepté, dans un bref instant de folie, de passer mon samedi soir dans un sous-sol avec tous les élèves de notre école secondaire, c'était à la condition non négociable que Marisol explore les lieux en ma compagnie.

Quel genre de caporale abandonne ses soldats au front ? C'est un scandale ! Je ne peux imaginer pire trahison.

Je tente un exercice de respiration pour retrouver mon sang-froid. Échec cuisant. Mon déguisement de bergère me compresse la taille. Un élastique de brocoli serait plus confortable.

En plus de mon bonnet surdimensionné et de mes longs froufrous, mon costume vient en prime avec un mouton en peluche rattaché par une longue laisse. On se sent en confiance dans un tel accoutrement, je ne vous dis pas.

Rongée par l'angoisse, je compose un message texte avec toute la patience et la compréhension dont je dispose dans les circonstances.

Émilie Robinson: Si tu ne peux justifier ton retard par un kidnapping extraterrestre ou une collision fatale avec un semi-remorque, je me charge personnellement de te zigouiller sur la place publique!

La déserteuse tente de désamorcer la crise en répliquant dans la seconde.

Marisol Langevin: JS n'est pas avec toi? Il m'avait promis de te retrouver chez Sam à 20 h top chrono. Il doit se déguiser en poulet.

Émilie Robinson: Si un volatile de cent quatre-vingts livres rôdait dans les parages, crois-moi, je le saurais.

Marisol Langevin: Te cacherais-tu dans la salle de bain, par hasard?

Comment a-t-elle découvert ma position? Je vide le bocal de coquillages qui se trouve sur le meuble-lavabo. Il doit forcément cacher une caméra. Alors que je me pique le doigt sur un oursin, on cogne sauvagement à la porte.

Trop tard pour prendre la fuite. Il faut parfois savoir capituler. Je glisse mon camarade laineux sous mon bras et sors de mon repaire. Horreur! Un clown furieux, un coussin péteur et une banane géante font le pied de grue devant la salle de bain. Je ne sais pas depuis combien de temps ils attendent, mais leurs regards assassins n'augurent rien de bon.

— Désolée, mon mouton voulait se refaire une beauté. Il est un peu coquet de la boucle.

Silence noir. Les douillets de la vessie n'ont pas le cœur à la rigolade. Mon instinct me dit que ce petit incident ne gonflera en rien ma cote de popularité.

Soupir.

Quelques pas plus loin, un zombie me fait d'obscures grimaces. Tignasse en broussaille, plaie ouverte sur la joue, dents pourries, haillons crasseux, entrailles apparentes... Marisol est méconnaissable.

— Je ne pensais jamais te dire une telle chose, mais tu es répugnante!

— Mille mercis. Ton costume est super aussi. La preuve, ton mouton est déjà la vedette de la soirée.

Sceptique quant au pouvoir attractif de la bête, je contemple la peluche qui traîne sur le plancher. Un bichon maltais papillonne gaiement autour de la créature frisottante et agite son museau en signe de fraternisation.

Fantastique. Il doit prendre mon toutou pour un de ses semblables.

Je délivre mon accessoire rembourré des caresses insistantes de son nouvel ami. Charmé, le chien ne perd pas espoir. Il se poste à mes pieds en attendant le retour de son amour perdu.

Une étrange volaille s'incruste dans notre discussion. Haut sur pattes, regard sombre, visage renfrogné, corps exceptionnellement emplumé, Jean-Simon se dresse sur ses ergots comme un coq en furie.

— Ces satanés collants sont pires que des radiateurs ! s'égosille-t-il par-dessus la musique. Vous savez où se trouve le petit coin ? Il faut absolument que je me rafraîchisse avant de me transformer en poulet rôti.

— Bonne nouvelle, la spécialiste de la question est justement parmi nous, s'esclaffe la morte-vivante. Émilie pourrait te faire le tour du propriétaire.

Ha, ha, ha.

Je me retiens de lui rappeler que je ne serais pas la reine de la salle de bain si ma prétendue complice daignait porter une montre à son poignet.

Je pointe la porte maudite avec une moue boudeuse. Jean-Simon se sauve en se gratouillant les jambes.

Insensible à ma phobie des inconnus, ma meilleure amie décide de me laisser en plan une seconde fois. C'est une maladie, ma parole !

Pas le temps de lui demander des explications que la fugitive fonce vers la table de mixage. Sam, organisateur et commanditaire officiel de cette grande mascarade, assure le volet musical en direct de ses consoles dernier cri. Ses voisins doivent regretter le jour de leur emménagement.

Ma nouvelle solitude attire tous les regards. Du moins, c'est mon impression. Je me sens comme une perdante, une recluse sans amis, un vieux bibelot poussiéreux.

Il faut que je me donne une contenance. Et vite. Analysons froidement mes options :

1. **Suivre Jean-Simon sur les lieux du crime.** Hors de question. J'en ai ras-la-capine de cette planque qui empeste le pouche-pouche.

2. **Suivre Marisol.** Mon amie est absorbée par sa conversation avec le mélomane. Plutôt crever que de passer pour son caillou apprivoisé.

3. **Affronter ma peur des inconnus et aborder joyeusement mon prochain.** Après tout, je ne suis pas plus cruche que les autres. Je peux parfaitement converser avec un inconnu sans passer pour une folle furieuse.

Dernier choix adjugé !

Requinquée par mon nouveau projet, je relâche mon mouton afin de me replacer les cheveux, puis je mets le cap sur le buffet.

Au bout du sous-sol, une table chargée de bonbons attire les invités en mal de glucose. Un jeune rouquin sert une mixture brune et épaisse dans des chopes en forme de crâne humain.

À chacun de mes pas, mon mouton en laisse se cogne contre mes mollets. Le bichon maltais clôture notre étrange défilé. Il refuse visiblement de quitter sa nouvelle idole.

Mieux vaut prendre des forces avant de me lancer. Je me rue sur le bol de nachos et plonge ma croustille dans la salsa.

AAAARGH !

La chips me glisse entre les doigts et atterrit sur mon costume blanc. Je frotte la tache maudite avec le fol espoir de sauver mon costume. Erreur. Elle double de superficie.

Le cabot profite de ma distraction pour mordre le mouton. Il le tire de toutes ses canines pour le dégager de sa laisse. Dans la rage de son amour désespéré, le chien finit par décapiter mon petit compagnon. Le ravisseur abandonne la tête coincée dans le ruban et se sauve avec le reste de son bien-aimé dans la gueule.

Côté romantisme, on repassera.

Avec ma robe souillée de rouge et les fragments de ma peluche qui pendouillent au bout de la laisse, je passe pour une bergère cannibale.

Témoin de l'attaque sournoise du nachos, le barman me tend une serviette. Je le gratifie de mon plus beau sourire, preuve que mes aptitudes sociales ne sont pas complètement nulles.

— Il reste encore un peu de tomate. Sur le bord de ta manche.

Catastrophe ! La musique étouffe la moitié des syllabes prononcées par mon interlocuteur. Je refuse que le bruit ambiant plombe ma nouvelle résolution. Peu importe si un ou deux mots m'échappent. L'important, c'est de capter le propos global. Démonstration.

— Moi aussi, j'adore cette chanson.

Silence incertain. C'est bon signe. Un lien se tisse lentement entre nous.

— Tu veux goûter au cocktail ?

— Non merci. Je ne suis pas une grande fan de tire à la mélasse. Mais je goûterais bien au cocktail.

Mon bon ami me sert une chope de sa boisson fruitée. Il me lance en prime un regard qui oscille entre la confusion polie et le profond malaise.

Hum.

En tout cas.

Le DJ interrompt sa musique tonitruante pour diffuser un message d'intérêt public.

— On poursuit avec une demande spéciale pour Émilie.

Guitare accrocheuse, rythmes entraînants, paroles vides de sens… Je reconnais tout de suite ma chanson favorite de Courtney Spire, la princesse de la pop abrutissante. Que celui qui n'a jamais eu de plaisir coupable me lance le premier lecteur MP3 !

Marisol accourt vers moi. Un sourire victorieux illumine son visage.

— Sam refuse habituellement les demandes spéciales. Il craint de ternir sa soi-disant « réputation artistique ». Mais tu me connais, je ne baisse jamais les bras. Surtout quand je veux me faire pardonner mes retards.

Je ne suis pas vraiment surprise par les talents de négociatrice de Marisol. Avec son obstination naturelle et ses redoutables techniques de vente pigées dans les infopubs, elle pourrait convaincre un vieillard unijambiste de se procurer une planche de surf.

N'empêche. Je suis touchée par sa belle attention. Tant pis pour la rancune ! Je passe le chiffon sur ses abandons sauvages. Du moins, pour ce soir.

Notre joyeux duo se dirige bras dessus, bras dessous vers la piste de danse. Jean-Simon vient nous rejoindre en dandinant ses fesses ornées de plumes. Nous nous déhanchons avec autant de style que peuvent en avoir un poulet en sueur, une revenante filiforme et une cannibale en jupons. Je brandis la tête de ma victime comme une meneuse de claque agite ses pompons. Marisol reste aussi dans la peau de son personnage cadavérique, bras ballants et mouvements désarticulés.

Une quinzaine de chansons plus tard, la musique se brouille subitement. Sur le coup, je suspecte un problème technique, mais quand les images se mettent à défiler au ralenti dans mon cerveau, je rejette tout de suite mon hypothèse.

La cause de mon malaise se dresse droit devant moi : un spécimen masculin de catégorie cinq étoiles entre dans mon champ de vision comme un bulldozer dans un champ de marguerites.

Galilée avait tort. Les corps célestes de notre galaxie ne tournent pas autour du Soleil. Ils gravitent tous autour de ce beau brun aux yeux verts déguisé en friandise M&M.

Alors que je me demande si son sourire est aussi craquant que son costume, Jean-Simon interrompt mes douces rêveries.

— Qu'est-ce que tu fais ?

— Je danse.

— Non. Tu te trémousses à contretemps avec la souplesse d'un métronome.

Mon ami a raison. Je ne suis pas une danseuse émérite en temps normal, mais en ce moment, ma gestuelle robotique frôle le ridicule.

Autre signe de ma soudaine absence de facultés mentales, je mets douze heures avant de réaliser que Marisol bavarde en fond sonore.

— Tu écoutes ce que je raconte ?

Absolument pas.

— Le gars que tu admires avec un filet de bave au coin de la bouche s'appelle Thomas Saint-Louis. Il est dans la classe de JS. Ceci dit, je ne partage pas du tout ton engouement. Quand il fait du sport, il porte des bas blancs dans ses souliers de course.

Son argument ne me fait ni chaud ni froid. Thomas est le plus beau gars du monde. Non, attendez. Je reformule. Thomas est un demi-dieu. Avec ou sans chaussettes blanches.

Et je vous signale au passage que ma meilleure amie est de fort mauvaise foi quand elle parle de filet de bave. C'était une petite gouttelette de rien du tout.

— Il faut que tu te présentes, s'emballe Marisol. J'ai un plan ! Suis-moi.

Sans autre explication, la zombie aux lambeaux sanguinolents claque des doigts en rythme avec la musique et fait marche arrière vers Thomas, tel un camion dans un chantier de construction. Mais sans la sonnerie de recul.

— Je vous accompagnerais avec plaisir, indique Jean-Simon, mais je viens de me souvenir que j'ai rendez-vous avec une réglisse. Bon fiasco !

Rassurez-vous, mon ami ne fréquente pas un bonbon torsadé pendant ses temps libres. En prenant ses distances, il souhaite plutôt se dissocier de nos plans ridicules et foireux. Enfin, ce sont ses mots. Pas les miens.

Je tente de suivre Marisol en effectuant des pirouettes aussi fluides qu'un mammouth sur une poutre de gymnastique. Mon amie me fait virevolter en me tenant par les mains. Notre chorégraphie n'est peut-être pas digne d'un clip de Brianna, mais elle a tout de même le mérite de nous rapprocher subtilement de la cible. Thomas est si près que je pourrais prendre une mordée de son affriolant costume.

Chose que je ne ferai pas.

Évidemment.

Une inconnue bondit sur mon demi-dieu. Je ne veux surtout pas juger en fonction des apparences, mais je ne suis franchement pas éblouie par son top de danseuse orientale. Ni par ses cheveux plus graisseux que des beignets frits.

Bon d'accord. Je la déteste de toute mon âme, aussi noire et superficielle soit-elle.

Remarquant ma profonde admiration pour son compagnon sucré, elle me lance un regard dont la signification ne laisse aucun doute : pas touche.

Sans me quitter des yeux, ma nouvelle ennemie ondule son corps et s'enroule autour de sa proie afin de bien marquer son territoire. Les paillettes vertes de son costume reluisent comme des écailles de serpent et la couleur de ses yeux se rapproche du jaune moutarde. Je ne serais pas surprise de savoir que sa langue est fourchue.

Distraite par le boa constrictor, je trébuche sur la dépouille de mon mouton et m'accroche aux fausses entrailles de Marisol pour ralentir ma chute.

Mauvais réflexe.

Son costume se déchire. Mon amie perd l'équilibre et effectue un plongeon spectaculaire sur la piste de danse.

Après l'occupation de la salle de bain, le costume taché et la zombie éventrée, quel symptôme peut-il bien manquer à la liste pour que je sois officiellement déclarée inadaptée sociale ? !

La foule se rapproche pour mieux admirer le massacre.

Je suis aux pieds de Thomas. Littéralement. Les organes couverts de faux sang reposent sur les sandales de la danseuse gluante. Son regard reptilien me laisse croire qu'elle me tient personnellement responsable de ce petit incident.

Comble de l'horreur, mon demi-dieu me dévisage de ses magnifiques yeux verts. Il semble peu impressionné par ma performance, mais dans sa grande bonté, il se penche pour ramasser la tête de mon mouton qui est sortie de son ruban.

Thomas est sur le point de mettre la main sur les restes de mon animal, quand ma rivale vient tout gâcher. Dans une ruse diabolique, elle s'avance sournoisement et donne un coup de pied discret pour que la peluche soit hors d'atteinte.

Confus, mon chevalier servant se redresse et interroge sa prétendante du regard. Elle lui murmure quelque chose à l'oreille, probablement une explication pathétique, glisse son bras sous le sien et l'entraîne vers le buffet.

Je ne m'avouerai pas vaincue si facilement. Les hostilités sont ouvertes !

Un poulet joue des coudes pour se frayer un chemin. En apercevant nos mines piteuses, Jean-Simon inspire en se bombant le torse.

— Et une autre belle réussite de l'escouade Fiasco ! ironise-t-il en nous aidant à nous relever.

Le spectacle est terminé. Les invités se dispersent. Je peux enfin tourner la page de cet incident malheureux et tenter de faire une meilleure impression à mon demi-dieu aux bas blancs. Rien ni personne ne pourra m'en empêcher.

Le DJ saisit son micro et diminue le volume de la musique pour converser une fois de plus avec son public.

— Émilie Robinson ? Est-ce que Émilie Robinson est ici ?

En une fraction de seconde, mon esprit inventif imagine une foule de scénarios. Je remporte le concours de déguisement et gagne un voyage dans le Sud pour moi et dix de mes amis. Une rock star en tournée veut me proposer un poste d'assistante. La directrice de notre école a appris que je cachais des canneberges séchées non réglementaires dans le fond de mon bureau et envoie la police pour me jeter en taule.

Intimidée, je fais un discret signe de la main pour indiquer ma présence. Les regards se braquent sur moi comme autant de projecteurs.

— Ton père est ici.

Stupeurs et pulsions assassines. Devant la table de mixage, mon paternel rajoute une couche à ma destruction sociale en me saluant joyeusement.

Oh.

Mon.

Dieu.

Il y a tout de même des limites à ce que je peux supporter en matière d'humiliation publique !

Marisol et Jean-Simon, qui profitent également du service de raccompagnement familial, font mine de se passionner pour le nombre de lattes du plancher de bois franc.

Notre trio se dirige piteusement vers le chauffeur enjoué. Autant retourner chez moi au plus vite et faire comme toute adolescente normale dans une situation pareille : noyer ma peine dans un pot de Nutella.

JOUR 2

LES ESPIONNES DU DIMANCHE

Je sors du lit avec le cheveu triste et la mine défaite. Un profond sillon de couverture traverse mon visage du nord au sud, comme une cicatrice qui viendrait me rappeler ma mauvaise nuit.

Quand je finissais enfin par vaincre mon insomnie, mon cerveau sadique me présentait un court-métrage dans lequel je devais compter des moutons qui nageaient dans une énorme marmite de salsa fumante, le tout sous les rires diaboliques de mon père. Thomas se tenait au bout d'un sentier brumeux. Je courais pour le rejoindre, mais le demi-dieu reculait au même rythme, tel un mirage inatteignable.

Je ne sais trop comment expliquer les scénarios troublants de mon imaginaire nocturne, si ce n'est à cause de ma douloureuse humiliation de la veille.

Bon. Certains esprits pointilleux accuseront ma consommation quasi boulimique de tartinade au chocolat vers 22 h 45. Je suis parfaitement consciente que les spécialistes ne recommandent pas d'engloutir une pleine louche de sucre quelques minutes avant de se mettre au lit. Mais qui mange ses émotions avec une portion de légumes verts ?!

Vous aurez compris que je ne pardonne toujours pas le manque de jugement de mon père. Notre entente était pourtant claire : je devais le rejoindre dans la voiture à 22 h. Le contrat ne stipulait nulle part que mon géniteur pouvait gambader joyeusement chez Sam et copiner avec les autres invités.

Ne vous méprenez pas. J'adore mon papa. Il est gentil, plutôt marrant et il entretient mon estime personnelle à grands coups d'encouragements. Tout psychologue digne de sa profession lui décernerait la médaille du bon parent. Mais hier soir, il a été trop loin. Peu importe ses excuses suppliantes, son geste est un crime punissable par la loi robinsonienne :

Droits et devoirs du bon parent envers son adolescent, décrétés par la juriste confirmée Émilie Robinson (extraits)

Article 6.1 : Le parent doit honorer son adolescent en tout temps et en tout lieu. Interdiction formelle de poser des questions embarrassantes, de fredonner un air romantico-quétaine ou de raconter des blagues douteuses devant ses pairs, sous peine de se voir infliger une sentence de bouderie prolongée.

```
Article 6.1.1: Le parent doit respecter
un rayon minimal de trois kilomètres
de distance quand il rejoint son cher
héritier dans un endroit public, à défaut
de quoi, il devra utiliser un faux nom et
renoncer au port du veston en tweed pour
prévenir tout malaise potentiel chez son
adolescent. Cet article couvre les cas de
raccompagnement en auto.

Article 6.1.2: Le parent doit se retirer
discrètement dans ses quartiers quand
un candidat amoureux débarque en terrain
familial. Il ne doit en aucun cas se
manifester devant les tourtereaux, même
sous prétexte de leur offrir des makis
au thon. Les gracieux sushis pourront
cependant être glissés sous la porte au
compte de trois pour éviter tout contact
visuel avec la génération montante.
```

Voyez. Le sabotage social figure parmi les cas de maltraitance. J'ignore ce que ce traumatisme me coûtera en thérapie une fois devenue adulte, mais pour le moment, le geste de mon paternel a gravement compromis mon avenir amoureux. Pas le choix de lui infliger une sentence de mutisme.

Je fonce sur mon ordinateur et consulte mon profil sur les réseaux sociaux. Mon objectif est clair: sauver les dernières miettes de mon honneur en rédigeant un statut accrocheur, persuasif et un tantinet mensonger. Il suffit de mentionner que mon père était en fait un pauvre illuminé qui se baladait dans les parages et qui a appris mon nom par hasard. Je suis sur le point de mettre mon plan en action quand une fenêtre s'ouvre au bas de mon écran.

Marisol Langevin: Bon matin! Qu'est-ce que tu fais debout?

Émilie Robinson: Pas grand-chose. Je sombre dans un abîme de honte, quelque part entre le manteau inférieur et le noyau terrestre...

Marisol Langevin: Au moins, tu es prête pour ton exposé de géographie. Je crois savoir comment te remonter le moral... Je viens tout juste de terminer mon enquête préliminaire sur Thomas Saint-Louis!

C'est immanquable. Chaque fois que je tombe en amour, ma meilleure amie se fait un devoir de vérifier les antécédents du spécimen en question. Elle a peur que je m'entiche d'un type qui se passionne pour un truc scandaleux, comme les animaux empaillés ou le scrapbooking. Malgré sa nature douce et conciliante, Marisol peut parfois se montrer protectrice comme un doberman posté en faction devant une bijouterie. Mais sans les grognements hargneux et les risques de morsures graves. Enfin, la plupart du temps...

Je pourrais sans doute me vexer d'un tel manque de confiance, mais pour tout avouer, je présente effectivement quelques lacunes quand vient le temps de choisir mes amoureux. Mieux vaut obtenir la bénédiction de ma complice avant de me lancer dans une nouvelle aventure.

Marisol Langevin: J'ai étudié toutes ses interventions dans les réseaux sociaux et décrypté les commentaires de ses amis. Voici le résumé de mon analyse:
• Il est célibataire.

Yipididou wouaw!

• Il déteste les radis, les films historiques, la musique country et les serpents.

Anaconda: 0, Moi: 1

• Il aime les boissons énergisantes, les romans policiers, les films d'animation, les jujubes surets et les poursuites automobiles.

Comme quoi je ne suis pas le seul être humain de plus de douze ans qui aime encore regarder des émissions dites «pour enfants» en me gavant de bonbons. J'ai un peu plus de réserve concernant les cascades automobiles, mais je suppose que tous les couples ont leurs défis.

Entre deux messages, je tape le nom de mon futur mari dans le moteur de recherche du réseau. Mon cœur part en vrille. Thomas est si magnifique que je pourrais tapisser les murs de ma chambre avec ses photos. Dommage que le projet soit impossible. Tim et Lucas, mes demi-frères sataniques, vandalisent quotidiennement la maison. Pas question que Thomas se fasse enlaidir par une moustache de chat gribouillée aux crayons de cire.

Marisol Langevin: Tu devrais lui envoyer une demande d'amitié au lieu de soupirer devant ses trois photos publiques...

Comment fait-elle pour lire dans mes pensées?

Émilie Robinson: Il pourrait interpréter mon invitation comme une preuve de mon amour infini. Je ne veux pas le bousculer.

Marisol Langevin: JS est son ami et il ne projette pas de lui déclarer sa flamme pour autant!

Émilie Robinson: Je ne me sens pas prête. Le sujet est clos.

Marisol Langevin: Comme tu veux, mais tu dois quand même approfondir tes connaissances sur ses goûts et ses habitudes de vie. Si tu ne veux pas faire de l'espionnage en ligne, nous irons directement sur le terrain. Je viens te chercher dans dix minutes.

Vous remarquerez que le dernier message n'est pas une proposition. C'est un ordre brutal et sans appel. Caporale Marisol se pointera ici dans quelques minutes et ne tolérera aucune résistance de ma part.

J'enfile sans tarder mon uniforme de combat, un jeans rouge et une chemise orange citrouille qui me permettront de me fondre dans la flore automnale. Je noue mes cheveux en une queue de cheval approximative. Pas question que les feuilles mortes se prennent dans ma tignasse broussailleuse. Il y a tout de même des limites au camouflage.

Direction la cuisine pour un petit-déjeuner copieux et énergisant. Accroupis sur le sol, les jumeaux Tim et Lucas éventrent une boîte de céréales pour mettre le grappin sur le jouet promotionnel, un passe-temps qui n'est pas sans déplaire au hamster de la famille, le sympathique Diabolo, qui avale goulûment les miettes dispersées.

Habituée aux mauvais coups du tandem infernal, je me contente d'esquiver les rondelles multicolores et me dirige vers les placards. Point de chocolatine. Plus de croissant. Zéro bagel aux raisins. Pas même une vulgaire biscotte aux grains entiers. Le vide sidéral.

Pas besoin de me faire un dessin. Je connais la responsable du pillage : Kelly-Ann, la fille de ma belle-mère Marion. Pendant les vacances estivales, ma demi-sœur de dix-huit ans a quitté la demeure familiale pour voler de ses propres ailes. Du moins, en théorie. Dans les faits, cette paresseuse de calibre mondial planifiait plutôt de voler sur les ailes de son nouvel amant, un réalisateur très en vogue dans le milieu du cinéma muet italien.

Malheureusement, les temps sont durs pour les projections sous-titrées dans la langue des spaghettis bolognaise. De soucis financiers en chicanes explosives, le couple a rendu les armes. La jeune diva est rentrée au bercail et a ramené en prime un gros chagrin dans son baluchon.

Ce bonheur était trop beau pour durer. Pour elle comme pour moi.

Depuis sa rupture, Kelly-Ann erre comme une âme en peine dans les couloirs de la maison. Désespérée et affamée, elle attend la tombée de la nuit pour vider la cuisine de tous les aliments qui me rendent la vie supportable. Impossible de la sermonner. Personne ne la voit jamais en chair et en os. En revanche, au beau milieu de la nuit, on peut parfois entendre des gémissements douloureux à travers les murs.

Les adultes du clan familial débarquent avec leur teint frais et dispo du dimanche matin. Marion sert le café alors que mon père feuillette le journal en quête de divertissements économiques. Vous avez bien lu. Mon planificateur financier de papa se passionne pour les profits nets et les taux d'intérêt. Il y a sûrement une maladie mentale derrière ce comportement bizarre.

Le fou des chiffres m'adresse un sourire.

— Bonjour, ma coccinelle. Tu as bien dormi ?

Silence chargé de rancœur.

— Tu voudrais bien me donner le lait ?

Silence chargé de rancœur et main inerte.

— Bon... Si je comprends bien, tu refuses toujours de me parler. Je te présente mes excuses pour la dixième fois. Tu veux bien cesser ton boudin, maintenant ?

— Boudi-boudin ! Boudi-Boudin ! Boudi-Boudin !

Les jumeaux tourbillonnent autour de moi en scandant leur nouvel hymne. Génial. Je me fais ridiculiser par deux enfants qui grignotent des vers de terre pendant leur temps libre. Même en essayant, je ne pourrais pas descendre plus bas dans l'échelle de la dignité.

Malgré tout, je persiste et signe : je maintiens mon mutisme. Vengeresse un jour, vengeresse toujours ! Histoire de marquer le coup, je me tourne vers Marion. La nouvelle épouse de mon adversaire se cache le nez dans le journal dans une tentative peu subtile de guetter notre affrontement père-fille en toute discrétion.

— Je sors avec Marisol. Je peux amener la page des horoscopes avec moi ?

Ma belle-mère me dévisage comme si je venais de lui demander de prédire mon avenir dans les crottes de Diabolo. Elle me tend le cahier avec un air inquiet.

Habituellement, je me méfie de ces prévisions obscures. Mais aujourd'hui, il me semble qu'un peu de foi astrale ne peut pas nuire. Après tout, je pars espionner mon alter ego cosmique.

Armée de mon manteau et de mon foulard, je sors sur le balcon pour attendre mon amie et rester le plus loin possible de Celui-Dont-Je-Ne-Prononce-Plus-Le-Nom. Autant en profiter pour découvrir ce que les étoiles me réservent :

SAGITTAIRE : Située au trigone de votre signe, la Lune en Taureau peut se faire source de quiproquos embarrassants. Ne craignez rien ! Même dans ce climat d'effervescence idéologique, vos arguments seront en mesure de convaincre les esprits les plus récalcitrants. Jupiter vous rappelle toutefois que le fauve ne s'attrape pas dans une toile d'araignée.

Je médite ces sages paroles quand je remarque Marisol dans la rue. Sa tenue de camouflage est parfaite : un bonnet noir couvre ses longs cheveux châtains, un manteau doublé arrondit sa haute silhouette et un foulard de laine couvre les traits de son visage, seule une mince ouverture laisse entrevoir ses yeux noisette. Aux pieds de ma sœur d'armes se trouve Hercule, le petit chien des Langevin. Il semble chercher une piste olfactive. Un vrai détective sur quatre pattes !

— Hercule compte retracer la piste de la maison de Thomas avec son flair infaillible ?

— Pas besoin. Son adresse est dans le bottin. En revanche, mon chien est le parfait alibi en cas de pépin. Si jamais la cible te surprend en pleine filature, elle conclura que tu te balades avec une amie et son petit compagnon. Ton honneur est sauf !

Marisol ouvre son sac. Il contient toutes les munitions nécessaires au bon déroulement de notre mission : jumelles télescopiques, gourde d'eau potable avec mousqueton intégré et double ration de biscuits au chocolat pour survivre aux conditions périlleuses du champ de bataille.

Ma sergente-chef déroule son plan tactique avec enthousiasme.

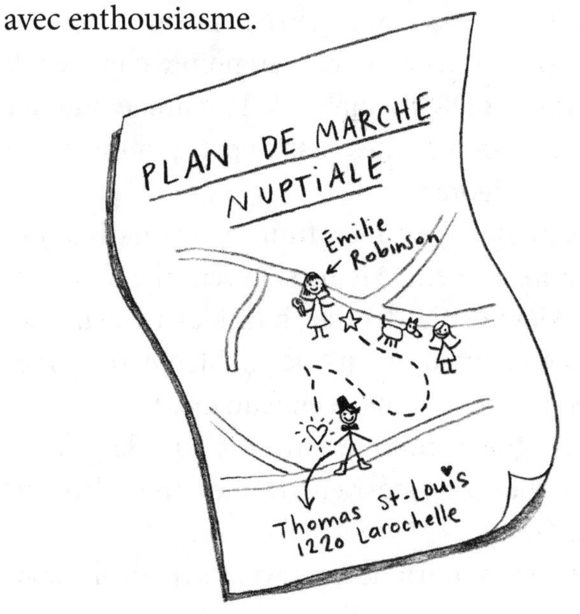

Je sais bien que mon amie plaisante avec ses griffonnages en forme de mariés. Elle ne souhaite pas vraiment devenir ma demoiselle d'honneur avant la fin de la semaine. Ce n'est pas un message subliminal ou une projection personnelle.

Contre toute logique, son gribouillis me conforte dans mes fantasmes de grandeur. Les yeux dans le gras de canard, je dessine mentalement chaque couture de ma robe blanche, chaque pétale de mon bouquet. Pire, je souris dans le vide. Passionnément. Stupidement.

Je suis encore plus troublée que je ne le croyais.

Caporale Marisol ordonne le lancement de notre opération filature. En avant toute !

Hercule avance courageusement sur la ligne de front, le port altier et le museau pointé haut vers le ciel. Dans ma tête, les notes de la marche nuptiale appuient chacun de mes pas, un peu comme un air militaire revigorant.

Je pars espionner mon futur époux dans la joie et la bonne humeur. Même si le vent me fouette le visage. Même si les feuilles humides ruinent mes nouvelles chaussures en suède. Même si je frissonne sous mon manteau en feutrine.

Aux aguets comme un gardien de prison, ma complice ne rate rien de mes tremblements convulsifs.

— Tu dois mourir de froid avec ton petit blouson !

— Mon destin sentimental se joue ce matin. Pas question de tout bousiller pour une question de rafales violentes en provenance du nord-est. La coquetterie avant tout !

— J'espère que tu te sentiras toujours aussi coquette quand tu auras le visage ravagé par la pneumonie…

Depuis quand donne-t-elle dans le sermon vestimentaire ?

Notre expédition s'éternise pendant une heure dans des conditions extrêmes. Heureusement, le quartier général du clan Saint-Louis finit par se dresser devant nous.

— Le plan est clair, rappelle ma capitaine certifiée en filature amoureuse. On fait le guet sur le trottoir, de l'autre côté de la rue, et on attend que la cible sorte de sa maison pour la suivre discrètement.

Un sinistre pressentiment m'assaillit. Les astres ne favorisent pas un rapprochement amoureux pour les natifs du Sagittaire. Une information que je partage aussitôt avec Marisol.

— On ne devrait pas pourchasser Thomas. Mon horoscope me le déconseille vivement. Quelque chose qui aurait à voir avec les esprits récalcitrants, les fauves et les araignées…

— Qu'est-ce que tu racontes ? Il faut absolument que tu obtiennes des détails concrets sur son mode de vie. Sinon, comment vas-tu faire pour le croiser par hasard et engager une conversation fluide et naturelle ?

— Je ne pourrais pas improviser ?

Marisol me contemple comme si je venais de lui proposer une balade en monocycle sur les anneaux de Saturne.

— Es-tu folle ? Rappelle-toi le fiasco Charles-Édouard !

Si seulement on me donnait un dollar chaque fois que mon amie me casse les oreilles avec cette histoire qui date du temps lointain où je portais une salopette jaune et des lulus enrubannées...

Un seul petit blanc de trois minutes devant un soupirant potentiel, et hop, on se voit aussitôt étiquetée comme inapte à la conversation.

Depuis ce malheureux incident, Marisol et moi articulons notre amitié autour de missions spéciales. Que ce soit pour aborder un voisin de classe, venger un affront ou acheter une jupe neuve, nous entreprenons des manœuvres stratégiques dignes des forces armées. Pas question de subir passivement les revers de la vie. Nous prenons les choses en main.

— Un peu de courage ! brandit Marisol. Il faut foncer !

Or, foncer prend du temps.

Beaucoup de temps.

Notre commando monte la garde devant la maison des Saint-Louis depuis maintenant 47 minutes et 13 secondes. Nous sommes en mission filature, sans personne à filer. Je suis à deux doigts de provoquer les choses en me collant le nez sur la fenêtre du salon. Seule la peur de finir mes jours en prison me retient.

Hercule tente de chasser l'ennui en mangeant une fourmi qui passait dans le coin. Comme je ne partage pas ses excentricités alimentaires et que nos provisions de biscuits sont écoulées, je me distrais en contemplant les bonshommes allumettes du plan de Marisol. Une bourrasque interrompt mes douces rêveries et arrache la feuille de papier de mes mains. Elle voltige haut dans les airs, atterrit dans les platebandes de ma future belle-famille et se coince entre les branches d'un rosier.

Je ne peux imaginer pire humiliation que Thomas Saint-Louis mettant la main sur le dessin. Autant lui déclarer mon amour avec un clown chantant ou une banderole aérienne ! Les gribouillages nuptiaux lui confirmeront non seulement que je suis folle d'amour, mais aussi que je suis folle tout court. Rien pour redorer mon honneur.

Sans même prendre le temps de consulter la chef autoproclamée de ma vie sentimentale, je me dirige vers l'arbuste mangeur de papier.

Mes talons s'enlisent dans la terre humide. Mon cœur joue du xylophone avec les os de ma cage thoracique. Je clopine vers le rosier kleptomane et sauve la feuille des branches épineuses. Victoire! En direct de leur trottoir de contrôle, Marisol applaudit et Hercule agite la queue sans trop comprendre le pourquoi de cet enthousiasme soudain.

Je reviens sur mes pas avec la confiance d'un conquistador. Un bruit de porte freine mon bel élan. Un homme dans la quarantaine sort de la maison.

Mon adrénaline atteint des sommets. Je ne crois pas commettre une infraction grave en récupérant une feuille de papier sur un terrain privé, mais ce n'est tout de même pas recommandable pour une jeune amoureuse qui rêve de faire bonne impression.

Mon instinct de survie me pousse à me cacher derrière la voiture, accroupie près de la roue, avec la feuille de papier sur la tête en guise de bouclier protecteur.

Je sais. Je ne survivrais pas longtemps dans la brousse.

Marisol me jette des regards interrogateurs. Le chien aussi.

— Tu cherches quelque chose? questionne une voix de baryton.

Oh, oh.

Celui que je surnomme mentalement Papa Saint-Louis m'observe, interloqué. Il a exactement le même air que son fils, au party de la veille, quand je me perfectionnais dans l'art du ridicule.

Prouesse de ma part, je ne tombe pas dans les pommes. Au contraire, j'ai le cerveau en effervescence.

— Euh. Oui. Bonjour. Je vérifiais la pression de vos pneus. Je suis de passage dans votre quartier pour vous offrir un service de gonflage à domicile.

Notez bien que mes explications étaient formulées de façon cohérente et réaliste. Preuve supplémentaire que mes talents sociaux sont en voie d'amélioration.

Sceptique, Papa Saint-Louis ajoute:

— C'est plutôt original, comme petit boulot…

Il semble me prendre pour une fille étrange. Je ne lui en tiens pas rigueur.

— Mon père est mécanicien. Il est gravement malade. Je lui donne un coup de main, car ses médicaments sont trop chers pour le budget familial.

Mais qu'est-ce que je raconte?

— Je suis navré pour toi et ta famille, compatit Papa Saint-Louis avec un sourire moqueur. Je veux bien t'encourager. Les pneus de ma voiture ont justement tendance à se dégonfler. Pourrais-tu t'en occuper tout de suite?

Mon petit doigt me dit que mon futur beau-père se fiche de moi, mais par orgueil, je poursuis mon mensonge et je m'enlise encore :

— Non ! Euh... En fait, nous avons beaucoup de demandes ces jours-ci. Mais je promets de vous contacter dans les plus brefs délais afin de fixer un rendez-vous. À la prochaine !

Je cours rejoindre Marisol et Hercule avant que Papa Saint-Louis me demande de changer ses freins ou je ne sais quel autre bidule mécanique.

Le ridicule ne tue pas, mais j'avais assez fait rire de moi pour aujourd'hui...

JOUR 3

LE VOLCAN CRACHEUR DE VINAIGRE

Migraine. Congestion. Douleurs musculaires. Je ne suis pas dans mon assiette. Après mon face-à-face surprise avec Papa Saint-Louis, Marisol et moi sommes revenues bredouilles dans nos maisons respectives. La température fracassait des records de froidure et Hercule refusait de marcher. Nous avons été dans l'obligation de trimballer le toutou douillet dans nos bras. Pendant une heure. Sous les regards étonnés des citoyens qui nous observaient depuis la chaleur de leur maison.

Bref. Notre filature a été un ratage sur toute la ligne.

De retour chez moi, les questions continuaient de se bousculer dans mon cerveau drogué aux pastilles pour la toux. Que fait Thomas en ce moment ? Est-ce que je lui plais ? Est-il du type salade de chou crémeuse ou traditionnelle ? Qui est donc cette couleuvre venimeuse qui lui tourne autour ? Est-il facile de se procurer un poison mortel sur le marché noir ?

Ce matin, alors que je suis sur le point de me ridiculiser devant toute la classe, je regrette amèrement d'avoir mis la priorité sur mon avenir sentimental au lieu de me concentrer sur les propriétés des roches volcaniques.

— Prête pour ton exposé oral ? claironne Marisol d'une voix stridente.

— Pas du tout. Au lieu de peaufiner mes préparatifs, j'ai passé mon dimanche assise sur le bord d'un trottoir, sous un froid glacial et des rafales de vent…

— Ne me dis pas que tu devras exceptionnellement te contenter de la note de passage ? !

Grognements nasillards de grizzli enrhumé.

— Tu verras, tout ira bien. Pour chasser le trac, imagine que tous les élèves de la classe sont des macaques.

Tiens. Notre professeur de mathématique doit utiliser la même méthode : il nous traite de babouins depuis la rentrée.

Madame Bergeron, enseignante de géographie et grande amoureuse des cailloux, entre dans la classe. Elle ordonne le silence et me prie de venir en avant. Je me redresse sans enthousiasme. Mes genoux supportent difficilement mon poids. Et non, cette soudaine faiblesse n'a rien à voir avec mes récents abus de Nutella.

Je repense au conseil de ma meilleure amie. Mon attention se porte intuitivement sur Adam

Brodeur, mon voisin de classe. Les yeux au plafond, il se gratte le dessous du bras en esquissant une grimace. Ajoutez une banane et la comparaison avec le primate est franchement impressionnante.

La voix tremblotante, je commence à discourir sur les couches terrestres et les déjections volcaniques, sujet qui ne semble pas déchaîner les passions chez mon auditoire. Madame Bergeron fronce les sourcils en noircissant son cahier. Mon exposé semble la plonger dans un abîme de perplexité.

Quelle est la meilleure stratégie pour masquer un évident manque de contenu ? Faire diversion avec des effets visuels !

Je déroule une affiche de mon cru qui illustre les mécanismes internes de la montagne cracheuse de feu.

En plus de mes explications techniques, un étrange gribouillis illustre deux amphibiens extraterrestres qui atterrissent sur le volcan avec leur engin spatial. Je remarque aussi des taches jaunes non identifiées et des empreintes de petits doigts chocolatés. Qu'est-ce que…

Oh non ! Dites-moi que je rêve ! ? Tim et Lucas ont ruiné mon travail scolaire ! Même Diabolo, la mascotte des jumeaux, semble avoir participé au saccage en mordillant les coins de mon chef-d'œuvre. Mon affiche de carton doit avoir meilleur goût que ses croquettes.

Des rires étouffés fusent dans l'assistance. Madame Bergeron, plus sceptique que jamais, exige le retour au calme.

Aucun souci. J'ai une autre carte dans ma manche. Pour conclure mon monologue sur une note spectaculaire, je compte reproduire une éruption volcanique en direct. La démonstration relève davantage du domaine scientifique que géographique, mais peu importe. C'est simplement de la poudre aux yeux.

Je sors ma brillante réplique du stratovolcan. En son centre se trouve un petit réservoir de bicarbonate de soude. Je concocte une savante potion de colorant alimentaire, de savon et de vinaigre. Beaucoup de savon et de vinaigre. La main tremblotante, je renverse accidentellement la totalité du mélange dans le cratère.

La montagne artisanale déborde. Mais alors totalement.

La mixture rouge feu jaillit et ruisselle en gros bouillons. Pire, elle coule dans le sac de Madame Bergeron qui se trouve au pied de la table.

Notre enseignante pousse un hurlement de stupeur. Elle accourt dans ma direction, non pas pour s'assurer que je suis indemne, mais pour sauver son sac griffé.

Trop tard. La mordue de cartes topographiques plonge la main dans sa mallette ouverte et en ressort une pile de feuilles aussi rouges que détrempées.

La classe est en délire. Amusés par ce spectacle pour le moins inattendu, les élèves poussent des exclamations joyeuses. Certains montent sur leur chaise pour mieux voir les dommages causés par ma catastrophe non naturelle.

— Les examens sont fichus ! s'exclame madame Bergeron par-dessus les applaudissements du public. Émilie, retourne tout de suite à ta place !

Je ramasse mon arme anti-pédagogique et, penaude, je rejoins les rangs. Marisol me fait un sourire compatissant qui tranche nettement avec le regard assassin de notre enseignante.

Si on me cherche, je suis roulée en boule sous mon bureau.

Par chance, la matinée se déroule sans autre incident terroriste de ma part. En sa qualité de complice pour le pire comme le meilleur, Marisol ambitionne de mettre un peu de baume sur ma blessure d'orgueil.

— J'ai une nouvelle formidable, proclame mon coach sentimental alors que je discute avec Jean-Simon à la récréation. Je marchais dans le corridor quand j'ai entendu Martin-Pier dire à Sam que Thomas était dans l'équipe mixte de cross-country. Voici ta chance !

— Ma chance de quoi ? Perdre mes deux jambes ?

— Mais non. De passer un peu de temps avec Thomas.

— Émilie ne sait même pas courir, intervient Jean-Simon avec son optimisme naturel. Je ne vois vraiment pas quel argument elle pourrait invoquer pour convaincre madame Hilton de rejoindre l'équipe. Elle ne supporte pas les flancs mous et met les plus grands sportifs au supplice avec ses exigences démesurées. Émilie ne survivra jamais.

— Selon la rumeur, madame Hilton ne cherche pas un athlète, mais un volontaire pour planifier les collectes de fonds, enchaîne Marisol sans même chercher à défendre mes talents sportifs. Émilie peut donc appuyer sa candidature en parlant de sa créativité et de son organisation.

— Je ne sais pas si je suis prête, siffle le petit oisillon fébrile et anxieux en moi. Ce serait une grande étape dans notre relation. Et si Thomas me trouvait nulle ?

Jean-Simon lève les yeux au ciel.

— Im-pos-sible, assure Marisol ! Tu es gentille, jolie et intelligente. Tu es aussi un véritable danger public quand tu te retrouves avec un pot de vinaigre entre les mains, mais ta folie destructrice fait partie de ton charme.

Je ne suis pas convaincue par la proposition de ma meilleure amie, mais comme mon jugement personnel semble parti en congé sabbatique depuis quelques jours, je décide de tenter le coup.

Marisol et moi profitons de notre heure de lunch pour faire une courte escale au gymnase, un lieu malsain que je fuis ordinairement comme la peste bubonique.

Je tombe en transe, hypnotisée comme un papillon de nuit devant une ampoule incandescente. Thomas expose sa musculature affriolante sur la piste de course. Comme ça. Sans avertissement. Je crains le pire pour ma santé cardiaque.

— Je peux vous donner un coup de main ? lance un blond de six pieds sans réaliser que je suis en pâmoison.

Insensible au charme du demi-dieu, Marisol me pousse vers notre interlocuteur.

— Oui. Salut ! On m'a dit que vous cherchiez un volontaire. Pour votre équipe. Je voudrais la rejoindre.

Fascinant. Même en inversant mes lambeaux de phrase, mon intervention n'a toujours aucun sens. C'est officiel. Je suis dyslexique de la conversation.

Imperturbable, le colosse fronce les sourcils.

— Tu ne serais pas la fille qui a provoqué une pseudo-explosion volcanique ce matin ?

Super. Si la vitesse de propagation se maintient, la rumeur devrait faire le tour de la commission scolaire avant la fin de la semaine. Même le caissier de la cafétéria me surnommera la Vandale-au-Volcan.

— Mvoui.

La réplique n'est pas éloquente, mais je fais avec les moyens intellectuels du bord.

— Grâce à toi, notre examen a été annulé ! Les copies étaient irrécupérables. Tu viens de me sauver d'un échec monumental.

— Bah… C'était une petite éruption de rien du tout.

— Je suis David, le capitaine de l'équipe, annonce-t-il fièrement en me tendant la main. Madame Hilton est absente. Est-ce que tu cours ?

Je vois bien que la bouche du jeune homme s'ouvre et se referme. Si je pousse mon observation plus loin, je dirais même que des sons semblent en sortir. Un truc qui concernerait mon amour de la course. Mais dans les faits, mon esprit est ailleurs. Sur les mollets de Thomas, plus exactement.

Ne me jugez pas. Toute fille munie d'un pouls ferait la même chose.

— Hum ? Oui, bien sûr.

Au fond, ce n'est pas faux. Je cours après Tim et Lucas quand ils volent mon mascara. Je cours après mon autobus quand je suis en retard. Je cours après Thomas Saint-Louis dans mes rêves.

Marisol toussote avec insistance. Je ne vois pas pourquoi elle tique. Il faut bien que le capitaine sonde mon enthousiasme pour le sport avant de me confier ses campagnes de financement.

— Bilodeau s'est foulé la cheville samedi, raconte David. Il boite comme un pingouin soûl. Il a évidemment annulé sa participation au championnat régional de vendredi.

Je me contrefiche du bilan médical de ce Bilodeau que je ne connais ni de prénom ni de visage. Thomas étire actuellement ses quadriceps et la beauté du paysage déclasse tous les couchers de soleil.

Je dodeline de la tête en faisant mine d'écouter mon interlocuteur.

— Notre prochain entraînement aura lieu demain midi, conclut le responsable des troupes.

Je suis sur le point d'analyser les informations quand Thomas croise mon regard. Les images défilent au ralenti comme dans une comédie romantique. Le demi-dieu me fait un sourire. Je me liquéfie sur place.

Inquiète de mon état de larve, ma complice tente un dernier avertissement.

— Émilie, tu ne venais pas plu…

Je ne la laisse pas terminer sa phrase. Avec une conviction qui me surprend moi-même, je lance à David la seule affirmation dont est capable mon pauvre cerveau enamouré.

— C'est parfait ! On se voit demain.

Je sors du gymnase en gambadant joyeusement. Ce qui prouve une fois de plus que je deviens franchement stupide quand je tombe en amour.

Je ne capte qu'à la fin de la journée le drame qui se profile. Pour me rapprocher de Thomas, je devrai participer au championnat régional de cross-country et galoper avec vigueur et endurance.

Chose que je ne sais pas faire.

JOUR 4

LE MAUVAIS DÉPART DE LA RECRUE

Impossible de reculer. Mon chandail de coton sur le dos, mes souliers de course flambant neufs aux pieds, je croupis sur la calotte glaciaire en attendant le lancement de ma nouvelle vie sportive. On pourrait croire que l'heure est au découragement. Pas du tout. Contre toute attente, je suis en pleine possession de mes moyens. J'ai un cœur fonctionnel, deux poumons roses de santé et des muscles encore neufs. D'accord, la machine ne travaille pas souvent, excepté pour me déplacer du divan au frigo, mais tous les morceaux sont en bon état de marche. Ce simple constat alimente mes espoirs les plus fous.

Mes amis quittent les estrades pour venir me saluer sur la piste de course. Je leur suis vraiment reconnaissante de braver le froid pour applaudir mon exploit. Pour tout dire, je suspecte Jean-Simon de se chercher un divertissement gratuit pendant son heure de dîner, mais dans ma grande sagesse, je lui accorde le bénéfice du doute.

Tel un sprinter olympique avant une compétition importante, je me motive avec des mantras positifs puisés dans le livre de développement personnel qui traîne sur la table de chevet de Marion.

Je suis forte.

Je suis capable.

Je suis endurante.

— Je suis foutue ! ! !

Marisol traduit mon appel au secours par un besoin criant de propos encourageants.

— Écoute-moi, commande-t-elle en me secouant par les épaules. Tu es une battante redoutable et courageuse. Tu vas donc finir cette course et aborder Thomas une fois pour toutes. Compris ?

C'est ce que j'aime le plus chez ma meilleure amie. Sa confiance en moi. Je pourrais vider les coffres d'une banque avec une tonne de dynamite qu'elle trouverait encore le moyen de me défendre envers et contre tous.

— Je savais que tu aurais une attaque de panique trois minutes et demie avant la course, s'enorgueillit ma complice. J'ai donc eu une idée de génie. En effectuant quelques recherches en ligne, je suis tombée sur le trajet officiel du deux kilomètres de cross-country de notre école.

Elle sort un mystérieux papier de sa poche de manteau.

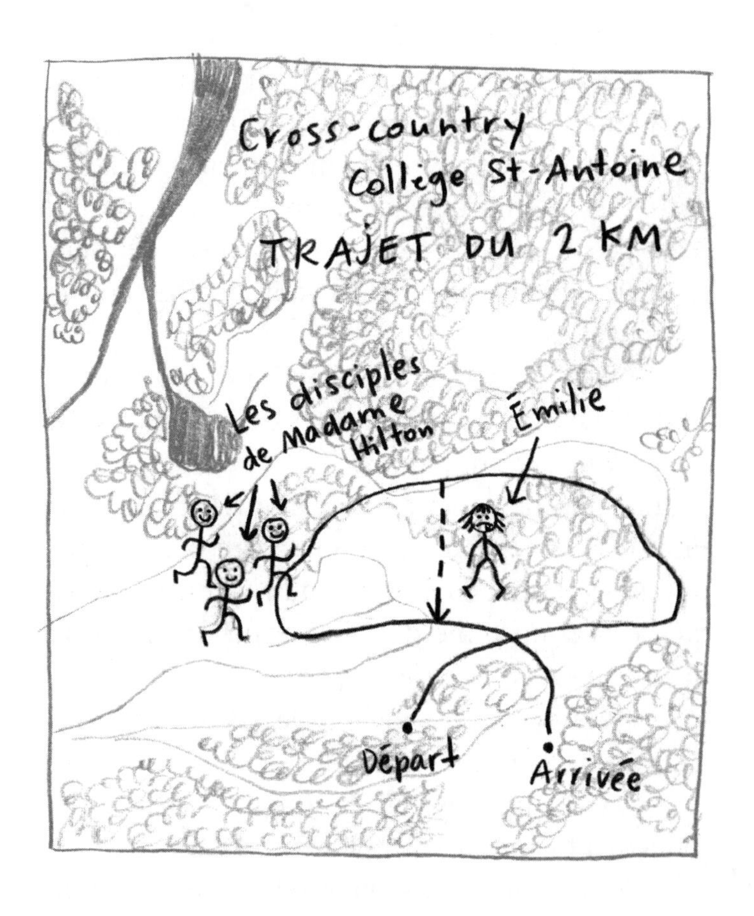

— Au lieu de suivre le sentier balisé comme les autres coureurs, tourne à gauche après le petit pont qui enjambe le ruisseau, commande la stratège militaire. En coupant à travers les arbres, tu raccourciras ton trajet de plusieurs mètres et tu rattraperas ton retard.

— Et si je me perds ?

— Les hélicoptères te retraceront avant la tombée de la nuit…, ironise la caporale chef Marisol. Enfin, ce n'est quand même pas la jungle amazonienne !

— Tu as imprimé ton plan à 23 h 04 ? coupe Jean-Simon sans se soucier de la possibilité que je meure dans le froid et la solitude. Tu souffres d'insomnies ?

— Non, Roseline monopolisait l'ordinateur. Elle est devenue accro aux sites de rencontres. Ne me posez pas de questions…

Le coup de sifflet de madame Hilton retentit. Frissons de terreur. La professeure d'éducation physique et coach de cross-country est si cruelle que je la soupçonne d'avoir inventé la guillotine dans une vie antérieure.

— N'oublie pas, chuchote la conspiratrice. À gauche après le petit ruisseau.

— Heureux de t'avoir connue…, conclut laconiquement Jean-Simon.

Je quitte mes amis pour rejoindre mes nouveaux collègues sportifs. Sans autre salutation, la tortionnaire nous ordonne de former un cercle et de procéder aux étirements. Thomas apparaît enfin dans mon champ de vision. Sublime. Renversant. Abrutissant. Mon demi-dieu aux chaussettes javellisées effectue des rotations de cheville avec la souplesse d'une ballerine.

Mais sans le tutu ni les chaussons roses.

Au moins, si je dois mourir dans la forêt sauvage qui ceinture notre école, je pourrai toujours me réconforter avec le doux souvenir de son corps en extension.

J'attrape mon pied gauche et plie gracieusement la jambe pour étirer les muscles de ma cuisse. Je sautille pour trouver mon équilibre. Ma performance navrante alerte madame Hilton. Elle me scrute comme si elle venait de découvrir une coquerelle cachée sous son matelas.

— Émilie, tu as sans doute perdu ton chemin, beugle notre sympathique professeure. Le cours de poterie a lieu dans le local B - 212.

On pourrait croire que la spécialiste en torture physique ne me porte pas dans son cœur. Grave erreur. La réalité est pire. Je vous jure sur la caboche bouclée des jumeaux que cette femme me déteste. Sinon, comment expliquer qu'elle me choisisse toujours comme cobaye pour illustrer les prises de lutte gréco-romaine ?

Affolé, le capitaine sort du rang pour fournir des explications.

— Je sais que nous acceptons rarement des nouveaux coureurs après les inscriptions, mais le championnat est vendredi et il nous manque un participant. Même sans entraînement, Émilie vaudra toujours mieux que cet estropié de Bilodeau…

Je ne parierais pas mon allocation hebdomadaire là-dessus, mais au fond, qui suis-je pour juger ?

En tant que capitaine, David doit posséder des connaissances privilégiées, voire même un certain flair. Il a peut-être vu quelque chose en moi.

L'énergie du désespoir, probablement.

— Je peux le faire. Je suis en excellente forme physique.

Mettons tout de suite les choses au clair. J'ai la force musculaire d'un maringouin et je cours avec les bras battants comme les ailes d'un moulin dans la tempête. Cette histoire de cardio de feu est donc un mensonge. Et alors ? Je connais une foule de personnes qui feignent la passion sportive sans que cela affecte leur valeur en tant qu'êtres humains. Plus encore, mes nouveaux talents de menteuse pourront toujours servir dans ma future carrière, dans l'éventualité où je deviendrais publicitaire comme Marion, ou première ministre.

— Je promets ne pas vous décevoir. Après tout, je sais courir depuis mes treize mois. Hi, hi, hi !

Madame Hilton me dévisage, impassible. Le message est clair : on ne badine pas avec le sport. Elle se contente de balayer les airs du revers de la main, un peu comme si elle chassait une mouche noire de son visage.

David me fait un clin d'œil en signe de victoire.

Je suis officiellement acceptée dans les hautes sphères du milieu athlétique!

Je déguerpis avant que la professeure me pose plus de questions sur les motifs expliquant mon intérêt soudain pour le sport.

Thomas se dirige vers moi. Mon cœur se comprime. Est-ce un rêve hautement réaliste? Je me pince le bras. Une vive douleur confirme que je ne dors pas.

Reste calme. RESTE CALME, BON SANG!

— Bienvenue dans l'équipe! Je suis Thomas.

Voici ma chance de l'éblouir avec la réponse parfaite. Quelque chose de poétique et de profond qui lui montrerait la vaste étendue de mon intelligence.

— Merci. Émilie. C'est mon nom.

Hum. Pas exactement le genre de réplique époustouflante que j'avais en tête.

Temps mort. Je tire sur le bas de mon chandail pour occuper mes mains tremblotantes.

Il doit penser que je suis un cactus synthétique pris dans un corps de jeune fille. Je ne peux supporter ce silence plus longtemps. Dans une vaine tentative de sauver les meubles, je prononce la seule affirmation qui me vient en tête.

— Je déteste le mois de novembre. Il semblerait que c'est une zone dépressionnaire en provenance des provinces maritimes qui explique les basses températures des derniers jours.

Mon futur époux se tient droit devant moi et tout ce que je trouve comme tactique de séduction, c'est de jouer les présentatrices météo. Mon avenir amoureux est sans espoir. Je vais devoir poser ma candidature pour le couvent.

Contre toute attente, Thomas ne prend pas la fuite.

— J'aime bien le froid. Il faut dire que je suis un amateur de planche à neige.

Rien de neuf sous le système cyclonique. Je connais sa passion pour les sports de glisse depuis deux jours. Je connais aussi son signe astrologique (Gémeaux), son meilleur score au jeu Candy Pop Saga (2 493 points), la couleur de la voiture de son père (bleu nuit), la plaque d'immatriculation (787 SKW) ainsi que le nombre de rosiers qui ornent la platebande familiale (quatre, dont un spécimen mangeur de papier). Ces informations ont toutefois été obtenues dans des circonstances devant rester top confidentielles.

— Cessez de jacasser ! hurle madame Hilton. Le championnat régional est dans trois jours. Trois jours ! La réputation de notre école repose sur vos épaules. Ne me décevez pas ! Au coup de sifflet, je veux vous voir effectuer deux tours de piste. Vous poursuivrez ensuite votre course dans le boisé.

Pas moyen de digérer tranquille mon panini aux légumes…

Thomas profite du discours de notre coach pour filer loin de mes théories climatiques. Je ne lui en veux pas. Par moment, je prendrais bien congé de mes bavardages inutiles, moi aussi.

Je me plie docilement aux ordres du tyran en pantalon de jogging et attends le signal sur la ligne de départ. Pour meubler mon esprit et chasser mon trac, je peste mentalement contre Bilodeau.

Au fond, tout est de sa faute. En plus de la planification des collectes de fonds, il se trouve que le meurtri de la cheville court habituellement avec le reste de la bande. La rumeur était trompeuse. Madame Hilton cherchait un volontaire pour le remplacer sur la piste de course, et pendant ce temps, ce cher Bilodeau cogite tranquillement lavothon et souper spaghettis en direct de son divan.

Comme quoi personne ne gagne au jeu du téléphone arabe. Jamais.

Le coup de sifflet retentit. Je pars au galop sur le chemin goudronné. Fait surprenant, je me sens agile comme une gazelle bondissant dans les hautes herbes de la savane. Je cours, je saute, je vole... Qui l'aurait cru : je suis une sportive qui s'ignore !

Cet enthousiasme ne dure qu'un demi-tour de piste.

Il se transforme en une lente et terrible agonie. Ma gorge surchauffe comme si je venais de boire un plein pichet de tabasco. Loin devant moi, les autres coureurs ne semblent pas le moins du monde incommodés. En tête du peloton, Thomas termine son dernier tour de piste avec la confiance du favori.

Un bruit tonitruant en provenance des estrades me fait sursauter. Sous le choc, je trébuche, j'effectue un plongeon vertigineux et j'atterris tête la première dans le gazon attenant. Les mains incrustées de petits cailloux, la joue gauche en sang, je scrute la foule de mon regard le plus haineux pour identifier le coupable.

Le boa en minijupe, celui qui s'entortillait autour de Thomas au party costumé, souffle dans une vuvuzela géante. Elle est accompagnée par trois couleuvres honoraires qui sifflent avec leurs doigts.

Tiens. Je ne savais pas que les reptiles camouflaient leurs peaux mortes avec trois couches de fond de teint.

Visiblement friands de cascades spectaculaires, les spectateurs se divertissent de ma chute. Même Jean-Simon semble sur le point de sortir le popcorn.

Allez-y. Distrayez-vous de mes malheurs. Rate dilatée ou argent remis.

Soupir.

— Vas-y, Tooooom ! chantonne l'insupportable femme-orchestre.

Requinqué par les acclamations de sa groupie, mon demi-dieu aux bas blancs augmente la cadence et disparaît dans les bois.

— Un peu de nerf, Émilie! scande madame Hilton dans son porte-voix. Tu feras la sieste plus tard.

Ma rivale interrompt son assourdissant solo de trompette géante pour pouffer de rire. Quelle fille insupportable... Je me retiens de sprinter vers mon casier, sortir ma poupée vaudou de secours et la piquer sauvagement avec des aiguilles. Il faut bien évacuer mes sentiments négatifs, si je ne veux pas me réincarner en perce-oreille.

De son poste d'observation, ma meilleure amie semble partager mon indignation. Elle descend les gradins en mastiquant sa gomme comme un ruminant. Une fois rendue au niveau du reptile, elle extirpe la substance visqueuse de sa bouche et la colle sur la mitaine de la fan en délire, l'air de rien. Quelle idée de laisser traîner ses affaires sous un banc, loin de toute surveillance!

Normalement, je ne suis pas en faveur de ce genre de représailles diaboliques, mais en ce jour difficile, il me semble que je mérite une petite compensation. Tant pis pour le serpent à sonnette!

Je me redresse péniblement et termine mes tours de piste en ignorant autant que possible la douleur qui accable chacun de mes muscles. Je me fiche de la spectatrice toujours hilare. Je suis une force de la nature. Je souris bravement.

Du moins, face au public. Car une fois seule, dissimulée par les arbres qui peuplent le boisé, mon visage est convulsé par la haine et mes sifflements caverneux reprennent de plus belle. Peu importe mon état cadavérique. Je refuse de ralentir le rythme. Les autres membres de l'équipe sont probablement rendus en Colombie-Britannique, à l'heure qu'il est.

Alors que je maudis mentalement le sale individu qui a inventé le cross-country, je cherche le ruisseau dont parlait Marisol. Rien. Niet. Nada. Aucune source d'eau. Excepté ces insupportables cascades de sueur qui me coulent dans le dos.

Mon état se détériore. Mon genou gauche me fait terriblement souffrir. C'est officiel. Je vais rendre mon dernier souffle dans cette forêt.

Je détecte alors une vieille passerelle en bois, une construction si pourrie que même un oiseau pourrait la réduire en miettes. Et si c'était le fameux pont? Les feuilles mortes couvrent peut-être le ruisseau.

Pas le temps de peser le pour et le contre. Si je ne termine pas cette course au plus vite, je vais succomber d'épuisement.

Risquant le tout pour le tout, je retiens mon souffle et je traverse la structure en décomposition en priant pour que je ne me retrouve pas sous les décombres.

Miracle ! Le pont tient le coup.

Je coupe à travers les arbres. Les branches fouettent mon visage. Les racines sournoises menacent de me faire tomber. Les cris de la faune me font sursauter. Après réflexion, je ne vais pas mourir de surmenage, mais attaquée par un écureuil sauvage qui tente de protéger son territoire des envahisseurs.

Je suis sur le point de m'avouer vaincue quand je discerne une silhouette humaine quelques pas plus loin, une ombre sautillante qui disparaît aussitôt de mon champ de vision. Délivrance ! Le sentier de course se trouve droit devant.

Mon calvaire sportif est sur le point de s'achever. Dans mon excitation, je fonce directement sur la piste sans prendre un instant pour mesurer les implications. Erreur de novice. Un type long et mince comme une perche de piscine arrive en trombe.

Je recule brusquement et évite une dangereuse collision frontale. Dissimulée par un gros chêne, la peur au ventre, le souffle court, je croise les doigts pour que le coureur ne me remarque pas. Si jamais ma tricherie est dévoilée au grand jour, madame Hilton militera pour ma lapidation, le directeur me renverra pour fraude sportive et Thomas fondera une famille avec la vipère. Je préfère encore cohabiter avec les bestioles de la forêt pour le reste de mes jours.

Je patiente quelques minutes avant de jeter un regard sur le sentier. La voie est libre !

Je trottine avec maladresse vers la cour de notre école. Les autres participants reprennent leur souffle sur le terrain gazonné. Bonne nouvelle ! Leur teint de crustacé bouilli confirme que je ne suis pas trop en retard sur le peloton. Marisol et Jean-Simon ovationnent mon retour miraculeux. Je coupe la ligne d'arrivée. Malgré ma démarche de vieillard boiteux et mon état de sudation avancé, je tente de garder une attitude digne. Du moins, aussi digne que possible en pleurant et en suppliant mes amis de me tendre une bouteille d'eau.

Le boa dévale les gradins et vient importuner mon demi-dieu avec ses gloussements idiots. Elle en profite également pour me servir un regard extra-haine, la spécialité de la maison, puis elle fait mine de se trancher la gorge avec son index.

LA CORRUPTION DU TÉMOIN

— Mamouchka, j'ai besoin de l'ordinateur, insiste Marisol. C'est une urgence nationale.

Il est 15 h 39. Je panse mes blessures de guerre chez ma meilleure amie. Je me sentais beaucoup trop faible pour affronter les questions du clan familial. En me voyant ainsi couverte de plaies, mon père risque de se lancer dans un interrogatoire policier, une perspective en totale contradiction avec ma promesse de mutisme éternel.

Ma bienveillante copine a donc proposé de me recueillir chez elle, une merveilleuse oasis de calme et de repos. Du moins, quand elle ne se dispute pas avec sa grand-mère.

— Cinq minutes, négocie Roseline. Je termine ma conversation.

Marisol se rapproche en catimini pour espionner ce qui se trame en ligne.

— Qui est Goey47 ? Et pourquoi veut-il savoir si tu préfères le dentifrice à la menthe ou aux fruits tropicaux ! ? demande-t-elle en faisant mine de vomir.

— Sans vouloir te vexer, ma poupounetteski, ce ne sont pas vraiment tes affaires…

— Je n'aime pas du tout que tu flirtes avec des inconnus, sermonne mon amie. Le web est un monde dangereux, surtout pour les non-initiés. Si ça se trouve, Goey47 est un pirate informatique ou un contrebandier sans scrupule. Pourquoi tu ne fais pas comme les autres membres de ta génération en cherchant ton âme sœur au bingo du samedi ?

— Tu sais bien que je n'aime pas le bingo.

— Tu devrais. Ce serait beaucoup plus sage que de risquer ta vie en pratiquant le parapente ou en visitant des sites de rencontres en ligne.

Je surveille la joute oratoire comme un match de tennis, en tournant brusquement la tête après chaque réplique, impatiente de voir qui marquera le prochain point.

— Arrête de te faire du mauvais sang, implore Roseline. Je te promets de rester prudente.

Elle ferme sa session de séduction virtuelle, quitte le clavier et dépose au passage un bisou réconciliateur sur le front de mon amie. Je plains Marisol d'avoir perdu ses parents dans un accident de voiture, mais il faut bien admettre que sa grand-maman est mille fois plus sympathique que les membres de ma propre tribu. Grandir dans une famille recomposée est une véritable lutte pour la survie. Chaque jour me le confirme.

Marisol enfonce les touches du clavier avec une concentration redoutable.

— Pourquoi as-tu absolument besoin de l'ordinateur ? dis-je en engouffrant une mini-tablette de chocolat.

— Je sais comment identifier la hyène qui rôde autour de Thomas, annonce-t-elle fièrement.

Je recrache ma friandise en une constellation de postillons bruns.

— Retiens tes crachats ! reproche Marisol en essuyant son écran tacheté. Jade connaît la fille en question. Elles ont discuté ensemble pendant que Thomas gambadait dans les bois.

Populaire, jolie, talentueuse, superficielle... Rassemblez tous les clichés décrivant les jeunes personnages de la machine hollywoodienne. Ajoutez la méchanceté de Cruella et les canines pointues de Dracula. Voici Jade Cardin.

— Je ne voulais pas te le dire tout de suite après ta course, poursuit mon amie. Tu étais trop exténuée pour en supporter davantage. La tactique est simple. Une fois que Jade sera en ligne, je lui poserai quelques questions sur notre cible.

— Je ne suis pas contre la théorie, mais en pratique, ton plan présente une faille majeure. Tout le monde sait que Jade ne fait pas dans l'entraide humanitaire. Dans un autobus, elle refuserait de céder sa place à un centenaire manchot et aveugle...

Pourquoi voudrait-elle nous aider ?

— J'ai ma petite idée.

Marisol se connecte sur son profil. Jade n'est pas en ligne.

— Je vais chercher de la glace pour faire désenfler ta joue, indique Marisol en se sauvant en direction de la cuisine. Appelle-moi si jamais la Canine se connecte.

J'utilise ce court moment d'attente involontaire pour méditer sur la race humaine en général, et sur Thomas Saint-Louis en particulier. Voici la retranscription non exhaustive des échanges qui se déroulent entre les deux hémisphères de mon cerveau.

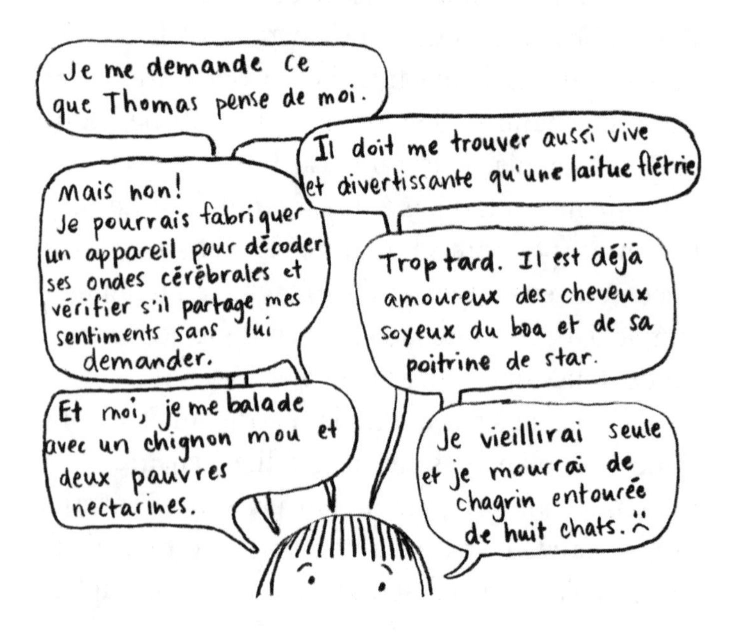

Je suis dans une impasse. Peu importe le scénario, je finis toujours seule, aigrie et / ou six pieds sous terre. Je frôle le drame existentiel.

Assez ! Mieux vaut canaliser mes angoisses et garder mon énergie pour quelque chose de productif, j'ai nommé : lire mon horoscope dans le téléguide qui traîne sur la table du salon.

Vénus est en Poissons, Saturne est en Gémeaux et Mars est en beau fusil. La semaine s'annonce fatale pour votre ego susceptible. Cessez de jouer les victimes et sortez vite des platebandes du voisin si vous ne voulez pas vous retrouver les menottes aux poignets. Malchance au jeu. Désastre en amour.

Je ferme le téléguide avec rage et le catapulte sur la table pour me venger de ses sinistres prédictions.

Pff! Personne ne croit ce ramassis de mensonges, de toute façon.

Le retour de Marisol suspend temporairement ma nouvelle haine astrale. Sur son plateau se trouve un sac de glace, des biscuits aux brisures de chocolat et deux verres de lait.

— Tu as déjà été plus flamboyante, constate mon amie en me tendant la glace. Quelle idée aussi de tomber en amour avec un sportif… La prochaine fois, choisis donc un type qui se passionne pour le taï chi ou un truc plus en phase avec tes aptitudes.

Je n'ai pas le temps de riposter que Jade se connecte. Marisol s'installe prestement devant la machine et ouvre une fenêtre de conversation.

— Attends ! Ne lui dis surtout pas pourquoi tu veux en savoir plus sur cette fille ! Des plans pour que la rumeur circule et que Thomas me prenne pour une fille jalouse et angoissée.

— Tu es une fille jalouse et angoissée.

— Il a toute la vie pour le découvrir. Inutile de précipiter les choses.

— Entendu. Je vais rester discrète.

Marisol Langevin : Salut Jade ! Quoi de neuf ?

Jade Cardin : Qu'est-ce que tu veux ? Je suis pressée.

On se demandera ensuite pourquoi la Canine n'entre pas dans la catégorie des filles aimables.

Marisol Langevin : Qui est cette fille aux cheveux blonds et bouclés ? Celle avec qui tu jasais à l'entraînement de cross-country ?

Je me tortille sur ma chaise. L'heure de vérité approche.

Jade Cardin : Pourquoi veux-tu le savoir ?

Marisol Langevin : C'est pour une amie. Tu ne la connais pas. Amélie Tropinson.

Bravo pour la subtilité.

Jade Cardin: Désolée, je crains que ces informations ne soient classées confidentielles...

Bien sûr. Le requin en minijupe reste muet comme une tombe quand on lui demande gentiment un prénom, mais quand il est question de propager de fausses rumeurs sur les fesses boutonneuses de notre professeur de chimie, elle ne voit aucun problème.

Marisol Langevin: Je te propose un marché. Si tu acceptes de parler, je te donne mon poster de One Way. Il a été signé par les cinq membres du groupe.

Une affiche autographiée par cinq farfadets qui chantent de la pop dégoulinante de romantisme... On n'arrête pas le progrès en matière d'extorsion.

Jade Cardin: Je veux une preuve de ce que tu avances. Allume ta caméra.

— Tu devrais te cacher, conseille mon amie avec insistance. Il ne faudrait surtout pas que la Canine te voit ici.

— Tu as raison. Elle pourrait alors deviner qui se cache derrière ton mystérieux nom de code.

Je déplace ma chaise vers la gauche pour sortir du champ de la caméra. Bonne nouvelle! De ma position, je peux toujours voir l'écran. Il suffit que je me disloque le cou et que je fronce les yeux comme une taupe myope.

Notre séance de clavardage se change en appel vidéo. Marisol ouvre le tiroir du meuble et sort une affiche pliée en quatre. Quand elle lui montre le pot-de-vin en question, le crocodile sourit de ses canines tranchantes. Je frissonne de terreur. Mon amie vient de signer un pacte avec le diable.

— Vanessa est ma cousine, confie notre interlocutrice. C'est une chipie insupportable, une fille mesquine et superficielle.

Je trouve assez ironique que Jade Cardin, elle-même championne mondiale en mesquinerie, traite sa cousine de chipie insupportable.

— Pourquoi assistait-elle à l'entraînement? interroge froidement Marisol.

Il ne manque que le projecteur aveuglant et la boîte de beignes pour que je me sente comme dans un film policier de seconde zone.

— Elle craque pour Thomas Saint-Louis depuis deux semaines, dévoile le piranha aux dents acérées. Personnellement, je ne vois pas trop ce qu'elle lui trouve. Il porte des bas blancs dans ses souliers de course.

Marisol me donne un coup de pied satisfait sous le bureau.

— De quoi avez-vous discuté?

— Pas grand-chose. Elle était de mauvaise humeur. Il y avait une vieille gomme collée sur sa mitaine.

Marisol ne cille pas. Son sang-froid me fait peur. Ma complice a décidément toutes les qualités nécessaires pour devenir une grande criminelle.

— Ton amie Amélie doit agir au plus vite, poursuit Jade en insistant lourdement sur le prénom. Vanessa n'a pas l'habitude de traîner quand elle est en amour. Et elle finit toujours par conquérir sa cible.

Mes espoirs explosent comme une bombe nucléaire. Je suis tellement lente et mal assurée. On jurerait une marmotte qui essaie de traverser l'autoroute !

Il me faut des glucides. Et vite. Je tends une main hésitante vers le plateau de biscuits en essayant de rester invisible aux yeux de Jade. Échec monumental. Je renverse le verre de lait. Une averse blanche s'abat sur le clavier.

— Mais qu'est-ce que tu as contre mon ordinateur aujourd'hui ? tonne ma meilleure amie en sortant un mouchoir de ses poches.

— C'est la planète Mars qui est rétrograde, dis-je en me levant pour aider Marisol à nettoyer les ravages de mon inondation. L'astrologie doit influencer ma coordination !

Oh, oh.

De son écran, la Canine nous dévisage avec un certain mépris. Elle ne semble pas vraiment surprise de me voir dans les parages. Allez comprendre…

— Émilie ! ? s'étonne Marisol devant la caméra. Qu'est-ce que tu fais ici ? Je parlais justement de notre bonne amie Amé…

— Arrêtez de jouer la comédie, interrompt abruptement la Canine. Apportez l'affiche demain matin ou j'informe tout le monde qu'Émilie est folle de Thomas.

JOUR 5

IL FAUT SAUVER LE SOLDAT ROBINSON

Les parents essuient la vaisselle du souper en pestant contre la chute des actions bancaires. Kelly-Ann se badigeonne les ongles en noir pour crier au monde entier son spleen existentiel. Les jumeaux trament un complot intergalactique dans leur chambre.

Tous les membres de la famille vaquent à leurs occupations habituelles.

Tous, sauf moi.

Je sombre dans une torpeur sans nom. Je dors mal. Je ne mange plus. La cause de mon malaise est simple : je vois Thomas dans ma soupe, mais pas seulement. Je le vois aussi dans mon sandwich au jambon, dans mon muffin aux bleuets et même dans mon gruau du matin. Je souffre d'hallucinations alimentaires. De quoi nouer le plus solide des estomacs.

Autre facteur expliquant mon état de langouste, la journée a été forte en émotions. Chaque fois que je surprenais Jade en discussion avec ses amis, je craignais que la potineuse informe les troupes de mes déboires amoureux. Mon secret est entre les mains de la pire langue de vipère du continent… Je ne me suis jamais sentie aussi vulnérable !

Durant le cours d'éducation physique, au lieu de me regarder avec mépris comme elle le fait depuis un an, madame Hilton m'a nommée capitaine de l'équipe de basketball. Selon Marisol, notre professeure me voit comme une espèce de prodige du cross-country, un mystère que les experts sportifs ne peuvent expliquer.

Pour conclure le feuilleton dramatique dont je tiens le premier rôle malgré moi, la directrice m'a convoquée dans son bureau ce matin. Madame Blanchet souhaitait me remettre une lettre peu élogieuse concernant la mésaventure du volcan explosif. Comme si cet incident n'avait pas été assez traumatisant en soi, le corps professoral exige que mes parents signent cette missive :

Collège Saint-Antoine

Madame, Monsieur,

Lundi dernier, dans le cadre de son cours de géographie, votre fille Émilie Robinson devait produire un exposé oral sur les propriétés des stratovolcans.

Bien que j'apprécie les efforts déployés pour apporter dynamisme et originalité au contenu de sa présentation, il serait important que votre fille soit plus attentive aux effets potentiellement dévastateurs des ingrédients utilisés dans ses expériences. Un examen a dû être annulé en raison de sa négligence, les copies ayant été imbibées par la lave de son volcan artisanal.

Je suis consciente que cette explosion est un accident bien involontaire de sa part. Merci de considérer cette lettre comme un appel à la prudence lors de ses prochaines expérimentations.

En vous remerciant de retourner la présente signée.

Recevez, Madame, Monsieur, l'expression de mes salutations les plus distinguées.

Mme Isabelle Bergeron, professeure de géographie

c.c. Mme Louise Blanchet, directrice

Connaissant le naturel inquiet de Celui-Dont-Je-Ne-Prononce-Plus-Le-Nom, il risque de prendre cette malencontreuse erreur pour le premier signe de ma future déchéance. Il me verra comme une décrocheuse en devenir, une rebelle dans le sang, une terroriste dans l'âme.

J'ai donc eu la bonne idée de relativiser les choses en déposant cette petite lettre de mon invention sur l'ordinateur portable de Marion :

Collège Saint-Antoine

Madame, Monsieur,

La présente concerne le lourd dossier disciplinaire de votre fille Émilie Robinson. Depuis septembre, des rumeurs persistantes nous laissaient croire que la jeune adolescente se livrait au trafic de stupéfiants au sein de notre école. Une fouille sommaire de son casier nous a permis de confirmer ces doutes.

Émilie corrompt non seulement la jeunesse en la poussant dans la spirale infernale de la drogue, mais elle a aussi organisé une manifestation hostile sous prétexte que l'établissement ne servait que « de la bouillie pour chats au régime ». Sachez que cette sauvage mutinerie a conduit à la destruction massive de la cafétéria, occasionnant plus de 12 000 $ en frais de nettoyage et de réparation. Nous vous saurions gré de nous rembourser ce montant dans les plus brefs délais.

Votre fille présente de graves troubles de comportement nécessitant un suivi psychiatrique urgent. Certains membres de notre personnel refusent même de la côtoyer depuis qu'elle a mordu une surveillante jusqu'au sang dans un élan de rage furieuse.

Vous comprendrez que nous sommes dans l'obligation de renvoyer Émilie de notre établissement. Nous vous souhaitons la meilleure des chances dans la recherche d'une école qui acceptera charitablement votre fille, en dépit de son caractère difficile et de ses facultés mentales compromises par sa consommation de drogues dures.

Recevez, Madame, Monsieur, l'expression de mes salutations les plus compatissantes.

Mme Louise Blanchet Directrice,
P. S. : C'est une blague ! La seule drogue que je consomme est le Nutella. Il faudrait d'ailleurs acheter un nouveau pot…
P.P. S. : Le vrai courrier est de ma prof de géographie et se trouve sur ta table de chevet. Merci de le signer rapidement. Je dois le rapporter demain.
P.P.P. S. : Étant donné que j'ai coupé tous les ponts avec Celui-Dont-Je-Ne-Prononce-Plus-Le-Nom, je te nomme officiellement responsable de mon éducation. Promis, ceci est mon dernier P. S.

Pendant quelques secondes, l'idée de demander plutôt la signature de ma mère m'effleure l'esprit. Non. Mauvais plan. Je ne suis même pas certaine que l'électricité est disponible dans cette région perdue de la toundra québécoise.

Dans son grand égoïsme, ma génitrice consacre en effet sa vie à la protection des océans, au lieu de choisir une mission beaucoup plus noble, comme de me raccompagner en voiture chez Marisol les jours de pluie.

Recueillir sa signature impliquerait de lui envoyer un pigeon voyageur ou de lui adresser mon message avec des signaux de fumée. Marion est une option beaucoup plus intéressante. Elle me donne l'impression de se contenter de peu, une théorie confirmée au quotidien par son amour aveugle pour Kelly-Ann.

Adjugé !

Je sirote un chocolat chaud en réfléchissant aux branches tordues de mon arbre généalogique quand on sonne à la porte. Tim et Lucas dévalent les escaliers pour accueillir notre visiteur avec leurs charmants bisous-péteurs. Au-delà de leurs penchants destructeurs, les chenapans sont hospitaliers.

— Émiliiie ! chantonnent-ils de leur voix stridente.

Étrange. Marisol devait terminer un devoir et Jean-Simon ne passe jamais chez moi sans appeler avant. Je me dirige vers la porte en restant sur mes gardes. Si jamais les benjamins de la famille me donnent en sacrifice à un bandit, je pourrai toujours me défendre avec mon breuvage bouillant.

Sur le coup, je ne capte pas les signaux émis par mon cerveau alarmé :

• Yeux verts comme le tigre du Bengale.

• Chevelure ondoyante comme un champ de blé sous la brise.

• Bouche pointue comme celle d'un hippocampe qui fait la moue.

Une merveille de la nature attend sur le paillasson. Thomas. Saint. Louis.

C'est bien ma chance. Je ne pouvais pas croiser mon futur fiancé au centre commercial ou au cinéma, quand je porte mes plus beaux atours. Non. Il fallait que je sois dépenaillée comme une pauvresse, avec un vieux pyjama distendu, des pantoufles en Phentex et une ridicule tasse de Mickey Mouse dans les mains. Je vais passer pour une gamine qui se met au lit avant le coucher du soleil !

Je réalise avec effroi que les jumeaux squattent toujours le vestibule. Ils poussent des cris stridents et se battent en duel avec des siphons. Juché sur l'épaule de Lucas, Diabolo arbore un minuscule bandeau amérindien fait de papier de toilette.

Mais ce n'est pas le plus désastreux. Mes demi-frères portent des soutiens-gorge sur la tête. Les miens. Ils les ont noués sous leur menton afin que les bonnets couvrent leurs oreilles.

Je n'en crois pas mes yeux. Les garnements se baladent avec mes sous-vêtements en guise de casque protecteur !

Cette fois, c'est décidé. Je compte exiger une réparation pour dommages et intérêts auprès des parents !

— Salut! prononce Thomas assez fort pour enterrer les hurlements des démons bouclés. David voulait te remettre le chandail officiel de l'équipe. Il a eu un contretemps, alors je te l'ai apporté.

— Merci. J'adore ce vert. Exactement la même teinte que le gobelet de notre salle de bain.

Quelle information insignifiante! Je suis un vrai géranium en pot. Donnez-moi un peu d'engrais et je fleurirai deux fois par année.

Je tente de relever le niveau de la conversation avec une question digne des plus grandes entrevues journalistiques.

— Je me demandais... Tu cours depuis combien de temps?

Pour lui montrer que je suis une fille pleine de joie de vivre, je ponctue chaque mot par des mouvements enthousiastes. Je suis si concentrée sur la gestuelle et la pertinence de mes propos que j'oublie la tasse qui se trouve dans ma main droite. Mon amnésie ne dure que deux ou trois secondes. Le temps que mes mains et mon pyjama soient imbibés de chocolat chaud.

Je souris dignement malgré mes brûlures au second degré. Malheureusement, Thomas n'est pas dupe de mon stratagème.

— Tu as du chocolat chaud sur ton pyjama, constate mon idole en pointant la tache indigne.

— Ah oui ? Je ne m'en étais pas aperçue. Tu peux attendre une seconde ? Je vais changer de chandail.

Je me précipite hors du vestibule et gravis les marches quatre à quatre, le visage tordu par un rictus de douleur. Une fois dans ma chambre, j'arrache mon pyjama souillé et dévalise tous mes tiroirs comme une cambrioleuse à la recherche d'un diamant. Autant profiter de ma maladresse pour redresser un peu la barre au rayon vestimentaire.

J'enfile mon plus beau jeans et un chandail rayé. Une évaluation sommaire dans le miroir confirme que je ne recevrai pas la palme du meilleur look encore aujourd'hui, mais le simple fait de ne plus porter de pyjama est un point positif dans l'accomplissement de ma mission : conquérir Thomas.

Comme d'habitude, mes projets sont mis à mal par ma famille. Quand je redescends, les jumeaux se chamaillent toujours dans le vestibule. En revanche, mon visiteur a quitté les lieux. Il se trouve maintenant sur le divan du salon, entouré de mon père, Marion et Kelly-Ann. Le clan familial le dévisage comme un extraterrestre qui serait tombé par hasard dans notre cheminée.

— Tu ne m'avais pas dit que tu faisais de la course, ma coccinelle, se réjouit Celui-Dont-Je-Ne-Prononce-Plus-Le-Nom. C'est une bonne idée de te mettre en forme !

— Surtout que tu as pris un peu de rondeurs, ces derniers temps, persifle Kelly-Ann.

Maudit sois-tu, Nutella !

— Je ne vois pas pourquoi tout le monde est surpris, dis-je avec un sourire forcé. Je suis en forme.

— En forme de poireau, oui ! s'esclaffe ma charmante demi-sœur.

Fous rires dans l'assistance. Cette fille a indéniablement un don infus pour me faire grincer des dents.

— Thomas, parle-nous un peu de toi, ruse Marion pour éviter une énième dispute fratricide.

Je ne suis pas certaine que mon demi-dieu souhaite partager sa vie avec de purs inconnus qui le scrutent avec curiosité. Bon joueur, il accepte cependant de raconter qu'il a longtemps été gardien de but au hockey et que la course lui permet de se défouler.

— Je te comprends, prétend Kelly-Ann alors qu'elle n'y comprend que dalle. C'est important de libérer nos énergies négatives. Tiens, moi, par exemple, je me suis découvert une passion pour la danse. C'est ce qui me permet de passer par-dessus ma peine d'amour avec Francesco De Luca, le réalisateur italien.

Je la coupe rapidement, car les démêlés de Kelly-Ann avec son amateur de parmesan constituent une longue et pénible saga.

— Il n'y a pas un documentaire sur le krach boursier dans quelques minutes? Ce serait dommage que vous le manquiez…

— Désolée pour toutes ces questions, s'excuse Marion en lisant habilement entre les lignes. Émilie n'a encore jamais invité de petit ami à la maison.

Je lui lance un regard furieux. Tout le monde sait qu'il ne faut jamais, JAMAIS, mettre le terme «petit» devant le mot ami. Surtout quand le spécimen en question n'est pas au courant de nos intentions de le marier dans un avenir pas si lointain.

Je pourrais riposter avec humour que Thomas n'est pas mon petit ami. Que personne n'utilise cette expression ridicule depuis la mode du corset. Mais non. Je choisis de tenir ma langue. Ce qui prouve encore une fois que mon QI oscille entre celui de la gerbille et de la patate douce.

Un seul minuscule adjectif mal choisi, et hop, mon avenir amoureux est ruiné. Il me vient une folle envie de m'enfuir par la fenêtre, mais je choisis plutôt la voie mature: je me sauve dans les toilettes pour pleurer sur mon sort et texter Marisol en renfort.

Émilie Robinson: AU SECOURS! Thomas vient de débarquer chez moi pour me remettre un chandail!

Marisol Langevin: Mais c'est une excellente nouvelle! Profites-en pour faire le premier pas, avant que Vanessa ne passe à l'attaque.

Émilie Robinson: Impossible! Ma famille le tient en otage. Ils le bombardent tous de questions idiotes.

Marisol Langevin: Tiens bon, j'arrive!

De retour au salon. Thomas est toujours prisonnier de la meute. Mon père est justement en train de l'achever avec la pire des tortures répertoriées dans le catalogue des parents-bourreaux: les anecdotes personnelles.

— Je cognais des balles à des distances inégalées, je maîtrisais mes effets, je battais les records du parcours… Une ronde de golf parfaite! Alors mon partenaire m'a mis au défi de…

Je dois me rendre à l'évidence. Les conversations stupides sont une prédisposition génétique dans ma famille.

Thomas est un virtuose de la politesse. Il opine machinalement du chef, sans regarder les aiguilles de sa montre, ni bâiller aux corneilles.

— … et je ne te parle même pas des trous 2 à 9!

Pitié, n'en parle pas! N'EN PARLE PAS!

Huit trous de golf et trois semi-comas plus tard, on sonne à la porte. Marion se précipite pour ouvrir. Elle se demande sans doute quelle autre surprise lui réserve cette soirée haute en couleurs.

— Bonjour, Marisol! Émilie est au salon avec son ami Thomas.

Elle insiste sur le mot « ami » et lui fait un clin d'œil amusé. De mieux en mieux.

— En fait, je ne venais pas pour voir Émilie, balbutie ma sauveuse. Roseline souhaite obtenir une subvention pour son projet de cyclothon nocturne et elle veut connaître les préférences des citoyens afin de convaincre le maire plus facilement. Je fais donc un sondage sur les différents événements offerts par la Ville. Pour lui donner un coup de main.

— Je ne sais pas si c'est le bon mom…

— Seulement cinq minutes, promet Marisol en se faufilant vers la cuisine.

— J'ai une super idée ! soutient Kelly-Ann en bondissant du divan pour suivre la fausse intervieweuse. Roseline pourrait organiser une projection de courts métrages italiens à la fin de son cyclothon !

Mon père hausse les épaules, salue Thomas et imite les autres volontaires afin de donner, lui aussi, son opinion sur le festival du hot-dog vapeur ou le cours de cuisine au micro-ondes pour les nuls.

Je profite de la diversion pour discuter avec Thomas. En théorie, la mission est simple. Il faudrait que je lui parle de mes sentiments, que je lui lance une invitation sympathique pour voir le dernier film de Theo Di Carpaccio. En pratique, les seuls mots qui sortent de ma bouche sont des excuses inconfortables.

— Ma famille est un peu intense.

Je couine comme une souris. Le genre de bestiole dont les serpents comme Vanessa ne font qu'une bouchée.

— Aucun souci, dit Thomas en regardant sa montre. Il faut que je parte.

Je voudrais lui offrir un morceau de tiramisu, une manucure ou un massage de pieds, question de le retenir encore un peu. Mais non. Je me contente de le raccompagner à la porte, en silence.

— On s'appelle, lance mon futur mari en enfilant son manteau. Bonne soirée !

Thomas disparaît dans le soir qui tombe et me laisse avec plus de questions dans la tête qu'il y en a dans le sondage bidon de Marisol.

LE DÉCRYPTAGE DU CODE SECRET

« On s'appelle. »

Qu'est-ce que Thomas essaie de me signifier au juste ? Compte-t-il me donner un coup de fil dans les prochains jours? Attend-il mon appel avec impatience ?

Je ne comprends rien aux intentions téléphoniques du demi-dieu.

Le système scolaire devrait prévoir un cours de psychologie masculine au lieu de nous casser les oreilles avec d'obscures conjugaisons au passé antérieur.

Dire que petite, je croyais que l'amour était simple comme dans les contes de fées. Quelle naïveté ! Les derniers événements me prouvent que ces histoires romantiques sont en fait une vaste supercherie. Il ne suffit pas de se tenir loin des pommes empoisonnées pour former un couple avec notre prince charmant. Oh, que non ! Il faut ruser, anticiper, calculer, déchiffrer…

L'amour est un combat sans pitié.

Désillusionnée, je prends en note de poursuivre l'empire Walt Disney pour cause de mensonge odieux contre la gent féminine, puis je décide de passer à l'action.

Il est temps de parfaire mon éducation en linguistique masculine. Qui de mieux placé que mon ami Jean-Simon pour éclairer ma lanterne ?

Émilie Robinson : Dis-moi, Ô grand gourou de la psyché masculine, qu'est-ce que tes semblables et toi sous-entendez quand vous nous lancez mystérieusement : « On s'appelle » ?

Jean-Simon Boissonneault : Pourquoi tu demandes ?

Émilie Robinson : Thomas a conclu sa visite sur cette note énigmatique il y a environ trente minutes. Je ne sais pas comment réagir.

Jean-Simon Boissonneault : Traduction libre : tu peux attendre longtemps avant d'avoir de ses nouvelles.

Émilie Robinson : Quoi ? Mais comment ça ?!

Jean-Simon Boissonneault : Les gars ne disent pas toujours ce qu'ils pensent et ils ne pensent pas toujours ce qu'ils disent.

J'entrevois un monde que ma naïveté ignore. Les paroles de Thomas se composeraient donc de fausses promesses et de vilaines manipulations ?

Marisol se joint à la conversation.

Marisol Langevin : Quelles sont les nouvelles ?

Optimiste comme elle est, ma meilleure amie saura percevoir une faible lueur d'espoir dans mon avenir conjugal :

Émilie Robinson : Thomas a conclu la soirée en me disant : « On s'appelle » ! C'est bon signe, hein ?

Silence informatique.

Émilie Robinson : HEIN ?!

Pas de réponse.

Jean-Simon Boissonneault : Je te l'avais dit…

Émilie Robinson : Qu'est-ce que j'ai pu faire de mal ? Je ne bavais pas. Je ne me suis pas curé les oreilles avec mon petit doigt. Je suis toujours restée calme et souriante, même quand Marion a dit qu'il était mon « petit » ami.

Marisol Langevin : Ton petit ami ?!

Jean-Simon Boissonneault : Astiquer ton conduit auditif avec une branche de céleri aurait été moins dommageable…

Émilie Robinson : Mais alors, qu'est-ce que je dois faire ?!?

Rien. Telle est la recommandation unanime. Les deux experts autoproclamés en relations amoureuses affirment que je dois attendre. Notre histoire a atteint un seuil critique. Un seul autre geste maladroit, et hop, Thomas pourrait détaler comme un lapin pris en chasse.

Émilie Robinson: Et si je lui envoyais une demande d'amitié pour essayer de corriger le tir?

Marisol Langevin: Bien sûr. Si tu veux te faire arracher le cœur sans anesthésie...

Un jour, mes amis insistent pour que je lui exprime mes sentiments en alexandrins. Le lendemain, je devrais me faire oublier. Les lois de l'amour sont insondables.

Comme je suis sage et conciliante de nature, j'accepte de suivre leur recommandation. Je promets de ne pas brusquer Thomas.

Je respecte le plan de match avec brio. À un minuscule détail près. Au cours d'une panne cérébrale, j'envoie une demande d'amitié à Thomas.

Comme ça. Sans réfléchir.

Si jamais Marisol et Jean-Simon me font la morale, je plaiderai non-coupable. Je leur expliquerai que j'étais atteinte d'une fièvre délirante et que ma main, échappant à tout contrôle, a machiavéliquement cliqué sur le bouton de la souris. De toute façon, je ne vois pas en quoi ce petit geste anodin pourrait se révéler catastrophique. Je sais bien que je dois respecter son intimité. Je ne suis pas une névrosée envahissante.

OH ! MON DIEU ! Thomas est en ligne. Inspire.

Expire. Ne pas brusquer les choses. Ne pas passer pour une dépendante affective en le bombardant de messages. Ne pas…

Émilie Robinson: Salut!

Confisquez-moi vite cet ordinateur avant que je lui envoie une cyber-demande en mariage!

Je dois absolument trouver une bonne excuse pour justifier mon besoin urgent de converser avec lui. Outre le fait que je dormirais mieux avec un de ses tee-shirts comme doudou.

Émilie Robinson: Question rapide concernant le chandail. Sais-tu si on peut le laver à la machine? Je ne voudrais pas me retrouver avec un tee-shirt taille nourrisson!

Suis-je vraiment en train de déranger Thomas pour une ridicule affaire de lessive?

Thomas Saint-Louis: Euh… J'imagine que oui. Je voulais justement laver le mien demain soir. Je m'organise un petit entraînement pré-championnat.

Émilie Robinson: Ah oui? Comment comptes-tu te préparer?

Thomas Saint-Louis: Marathon de films d'animation, compétition de jeux vidéo, gavage de chocolat, orgie de chips au ketchup… Les trucs habituels, quoi!

Tiens. J'ignorais que la sédentarité et le sirop de maïs étaient indiqués pour optimiser les performances sportives.

Thomas Saint-Louis: Non mais, pour vrai, tu peux m'accompagner, si tu veux.

Pincez mes quadriceps endoloris, je rêve!

Émilie Robinson: Ce serait super! J'apporte le pop-corn ultra-beurre et les jujubes!

Thomas Saint-Louis: LOL.

J'éteins mon ordinateur et sautille sur mon lit en poussant des cris de joie. Je ne peux pas croire que j'ai rendez-vous avec mon demi-dieu! Notre histoire est sur le point de commencer. En un flash, je vois notre premier baiser, notre mariage, nos petits-enfants…

Et vlan dans les crochets, le boa!

JOUR 6

SANS TAMBOUR, NI JUPETTE

Confession gênante. J'ai un grave handicap au rayon maquillage. Malgré la lecture assidue de magazines qui enseignent la beauté naturelle en 324 étapes faciles, je reste une infirme du pinceau. Quelle est la différence entre le mascara maxi-volume et le mascara triple effet allongeant ? Entre les fards de Kelly-Ann et les pastilles de gouache des jumeaux ? Entre le fond de teint et le fond de volaille ? Je ne saurais vous dire.

Conclusion, je me contente généralement de ce que la génétique m'a offert : teint laiteux, yeux noirs de format moyen, pommettes saillantes, traits plutôt symétriques… Ce n'est peut-être pas ce qui se fait de mieux sur le marché, mais bon, c'est tout ce que j'ai.

Avant de me rendre chez Thomas, j'ai exceptionnellement enfreint mon serment anti-cosmétique. Je me suis fait une beauté. Enfin, c'est une expression. Dans les faits, je me suis plutôt enfoncé un tube de mascara dans la rétine, barbouillé les joues avec un gel de couleur inhumaine et brûlé le front en essayant de dompter ma frange rebelle avec mon fer plat.

J'ai même emprunté un chandail de Kelly-Ann assorti à ma jupe. C'est un des rares avantages de cohabiter avec ma demi-sœur. Il est possible de piger dans sa garde-robe bien garnie. Il faut seulement porter des souliers de course confortables pour détaler au plus vite, si jamais cette hystérique nous surprend en flagrant délit de kleptomanie.

Le visage peinturé comme une toile de Picasso, je me tiens sur le paillasson du clan Saint-Louis avec un baril de popcorn triple beurre et un sac de bonbons surets. Il reste deux minutes avant mon rendez-vous, soit le temps nécessaire pour parcourir les recommandations et interdits de Marisol en matière de rencard.

Les 7 commandements pour conquérir une cible potentielle

1. Tu ne bafouilleras point.
2. Tu ne rougiras point.
3. Tu ne dévisageras point la cible tant convoitée la bouche grande ouverte et le regard hagard.
4. Tu ne le dévisageras point tout court.
5. Tu ne partageras point avec lui ni ton projet de mariage ni ton intention de baptiser vos futurs enfants en l'honneur des personnages de ton roman favori.

Pour avoir la conscience tranquille, je me permets une fois de plus de te rappeler que nommer tes héritiers Katniss et Peeta ne facilitera en rien leur intégration dans la cour d'école. Maintenant, tu feras bien ce que tu veux...

6. Tu ne mangeras point de popcorn. Tous tes efforts de séduction seront réduits à néant s'il te reste un morceau de maïs coincé entre les dents. Crois-moi, je sais de quoi je parle...

7. Tu ne lui mentionneras point ta passion étrange pour les suricates. Sous aucun prétexte. Même moi qui suis ta meilleure amie, je trouve la chose limite effrayante.

Bref, ne fais rien de ce que tu fais habituellement en présence d'un spécimen masculin et tout ira bien.

Bonne chance !

Marisol, XO

Ajout de JS : Tu ne mâchouilleras point tes cheveux. Ce n'est pas vraiment un conseil de séduction, mais cette manie ridicule me fatigue depuis des années et je ne savais pas comment te le dire. On se voit demain !

Pff! Mon ami a du culot de critiquer ouvertement mon petit travers. Est-ce que je lui reproche de tirer compulsivement sur ses poils de sourcils durant les séries éliminatoires de hockey? Non. Je lui pardonne cette étrange manie au nom de notre amitié. Je ne me moque pas de lui.

En tout cas, jamais quand il est devant moi.

Je recrache subitement la mèche qui craque sous mes dents. L'heure est grave. Thomas vient de me remarquer par la fenêtre du salon. Je lisse ma jupe dans un dernier espoir de coquetterie et je prends une grande inspiration. Le fantasme sur deux pattes ouvre la porte et me gratifie de son sourire le plus craquant. Mes neurones entrent en transe.

Bas blancs, souliers de course, bandeaux en serviette autour des poignets, ceinturon avec gourde portative… Son look, bien que magnifique, me laisse songeuse.

Les rouages se mettent lentement en marche dans mon cerveau. Ce n'est pas un rendez-vous amoureux. C'est un entraînement. Un vrai.

Avec de la sueur et des douleurs atroces.

J'ai encore loupé un de ces obscurs messages subliminaux qui ponctuent le langage masculin. Une chose est claire, cependant. Dans la catégorie manque de jugement, je suis en tête pour remporter le titre.

Entre nous flotte une odeur de malaise. Atteinte dans mon honneur, je prie le ciel pour que la croûte terrestre s'entrouvre et nous engouffre, moi et ma jolie jupe.

— Avais-tu imaginé qu'on regarderait des films pour vrai ?

S'ensuit une série d'onomatopées qui ne font aucun sens. Comme toujours, elles sortent sans contrôle de ma bouche.

— Bien sûr que non! Ha, ha, ha! Le baril de popcorn, c'était juste pour faire une blague. Tu sais. À cause de notre conversation d'hier. Pour rire. C'est tout.

Je ne sortirai plus jamais de la maison sans un morceau de ruban adhésif collé sur la bouche. J'en fais la promesse solennelle.

— Mais tu portes une jupe…, insiste le roi de la suspicion.

La crainte de passer pour une nouille surcuite aux yeux de mon idole me fait transpirer dans mes collants. Seule option pour me sortir de ce mauvais pas: mentir.

— Mvoui, mais c'est une jupe de sport. Son tissu high-tech permet de réguler l'humidité et de maximiser la performance des tissus musculaires. Grâce à l'évaporation de la transpiration, le corps consomme moins d'énergie. C'est nouveau sur les tablettes. Je te le recommande.

Je suis si fluide et convaincante que je me fais peur. Le mensonge est en train de devenir une seconde nature chez moi.

Ébahi par tant de culture textile, Thomas semble satisfait de mes explications. Le beau coureur me fait signe de le suivre.

Je me sens comme une croyante qui entre dans le temple de son dieu. Thomas et moi arpentons le même couloir. Partageons le même espace dans la cuisine. Humons les mêmes bananes qui se changent en compost directement sur le comptoir. Le rêve!

Une voix grave interrompt mon pèlerinage en terre sainte:

— Tom? Tu viens de recevoir un appel de Vanessa. Elle veut que tu la contactes le plus rapidement possible.

Je manque de m'étouffer avec ma salive. Le boa constrictor connaît le numéro de téléphone de Thomas. Encore plus angoissant, elle a le courage de s'en servir. Cette révélation me fait autant de bien qu'un coup de raquette dans les dents.

Le porteur de mauvaise nouvelle entre dans la cuisine: Papa Saint-Louis.

— Merci pour le message, mais je n'ai pas le temps tout de suite, décrète Thomas en remplissant sa gourde. Je pars m'entraîner avec Émilie, la fille de mon équipe de cross-country.

Hors de question que Monsieur Mou-du-Pneu me reconnaisse. Il pourrait me demander de changer son huile entre deux redressements assis. Afin de passer incognito, je le salue en me cachant partiellement le visage avec ma main, puis je fais mine de compter le nombre de mouches qui virevoltent autour des fruits bicentenaires. Peine perdue. Mon futur beau-papa me scrute avec curiosité. Je peux presque lire dans ses pensées. Où ai-je vu cette inconnue ? Au supermarché ? Sur une pinte de lait ? Sur la liste des criminels les plus dangereux au pays ?

— Hé ! Tu n'es pas la jeune fille qui gonfle les pneus à domicile ?

À quoi bon se tartiner avec des fards qui contiennent des crachats de lama bolivien, si c'est pour se faire identifier par le premier venu ?

— Vous vous connaissez ? s'interpose Thomas. Depuis quand ?

— J'attendais ton appel pour confirmer le jour de mon rendez-vous, reproche le client moqueur en ignorant les interrogations de son descendant.

Je pourrais admettre que je ne connais rien en mécanique automobile, mais un aveu officiel impliquerait automatiquement une question délicate : qu'est-ce que je traficotais sur le terrain des Saint-Louis, dimanche dernier, accroupie en petit bonhomme avec une feuille sur la tête ?

Plutôt jouer le jeu que de confesser le plan espionnage devant Thomas.

— Je suis désolée. Nous connaissons actuellement une demande sans précédent. Et notre garage a été la cible d'un important groupe de motards qui tente de contrôler le territoire.

Note à moi-même : il faut impérativement que je mette la pédale douce sur les mensonges. On se croirait dans un soap américain.

— Décidément, le sort s'acharne sur ta famille. Comment va ton père ? insiste Papa Saint-Louis.

— Plutôt bien. Ses traitements lui causent toutefois de graves épisodes de démence durant lesquels il délire sur le golf, porte des cravates hideuses et résout des sudokus dans le journal. Mais autrement, il garde le moral. Merci de le demander.

Faites-moi taire avant que je ne m'invente un lien généalogique avec Jules César !

Heureusement, Thomas décide que les présentations ont assez duré. Nous prenons congé de son père et élaborons les détails de notre entraînement préparatoire.

— Je suis désolé pour ton père, compatit le gentleman.

— On s'habitue. J'ai parfois quelques réserves concernant son humour, mais autrement, il est plutôt gentil.

— Non, pour son état de santé, je veux dire. Il avait l'air en pleine forme, l'autre jour, glisse Thomas avec un petit air de doute.

— Ah. Oui. Il joue bien la comédie…

Mieux que moi, en tout cas.

— Je propose que l'on s'échauffe avec quelques exercices de base, puis on ira faire un tour de vélo, explique le demi-dieu. Les spécialistes ne recommandent pas de faire une course trop exigeante la veille d'une compétition, mais il est important de mobiliser l'organisme avec une séance de déblocage neuromusculaire.

— Je vois, dis-je en ne voyant rien du tout. Mais avant de nous lancer, il faudrait que je fasse une petite escale à la salle de bain.

Je suis les indications de Thomas et me dirige vers la gauche. La porte ouvre sur un placard à balais. Je finis par trouver mon chemin à l'autre bout du couloir. Je m'assois sur le bord de la baignoire pour analyser froidement la situation. Le bilan n'est pas encourageant. J'ai envie de pleurer, mais la crainte de ressembler à un raton-laveur freine mon élan. La menace d'un mascara coulant peut se révéler fort persuasive.

Comme chaque fois que je suis dans une impasse sentimentale, je décide de sonder Marisol et Jean-Simon via message texte.

Émilie Robinson: Catastrophe! Thomas compte nous infliger un entraînement de déblocage neuromachin!

Jean-Simon Boissonneault: Et un autre beau succès pour l'escouade Fiasco! Comment as-tu pu confondre avec un rendez-vous galant?

Émilie Robinson: Je ne sais pas... Il parlait de préparer le championnat en s'empiffrant de gras saturés sur le divan du salon. C'est si difficile de capter les sarcasmes quand on est en ligne.

Après réflexion, je crois me souvenir que Thomas a fini notre conversation avec un LOL… Je décide de taire cette information. Les récents événements ternissent déjà ma réputation intellectuelle. Inutile d'en rajouter.

Marisol Langevin: Qu'est-ce que tu vas faire?

Émilie Robinson: Je voulais déguerpir, mais il n'y a pas de fenêtre dans la salle de bain. Je vais devoir pédaler avec trois kilos de mascara encroûté sur chacun de mes cils.

Marisol Langevin: Au moins, tu auras les paupières musclées.

Émilie Robinson: Super. En passant, Thomas vient de me présenter à son père comme «Émilie, la fille de son équipe de cross-country». Que veut-il dire? Elle est une collègue sportive? Je rêve de l'épouser avant ma majorité? Elle devrait passer la soie dentaire plus souvent?

Jean-Simon Boissonneault: Ce sera 1,50 $ par mot traduit. Acceptes-tu les frais?

Émilie Robinson: Tu ne trompes personne avec tes tarifs ridicules. Tu aimes beaucoup trop partager ton savoir.

Jean-Simon Boissonneault: Si tu insistes, je dirais que Thomas a déjà parlé de toi à son père.

Cette phrase de quinze mots suffit à raviver tous mes espoirs.

Jean-Simon Boissonneault: Ne t'emballe pas trop vite. Il lui a peut-être juste mentionné que tu courais comme un pantin.

Marisol Langevin: Ne sois pas pessimiste. Émilie est une grande athlète maintenant. Elle court avec rythme et détermination. P.-S.: C'est un exemple de sarcasme.

Petits impertinents…

Je salue mes soi-disant complices et retrouve Thomas dans le sous-sol pour commencer notre séance de torture corporelle.

On pourrait croire que les étirements ne représentent aucun danger pour mon intégrité physique, mais encore une fois, ce serait surestimer mes capacités. Les redressements assis me causent des tremblements convulsifs. Les rotations de bras me donnent un air débile. Les levés de genou me font perdre l'équilibre. En clair, j'enchaîne gaffe sur gaffe.

— Essaie de reculer un peu ta jambe, me conseille Thomas dans un élan de pitié.

Alors qu'il essaie de corriger ma posture, mon coach bien-aimé effleure ma clavicule. Je frise la perte de conscience. Mon corps est maintenant un objet de culte, un trésor du patrimoine mondial. Je ne laverai plus jamais cette parcelle de peau sacrée.

Dix minutes et cinquante contorsions plus tard, Thomas me prête la bicyclette et le casque de sa grande sœur, un modèle professionnel au design luxueux et une selle rembourrée en cuir.

J'enfourche cette intimidante monture. Mes pieds ne touchent pas le sol. Alléluia!

— Le vélo est trop grand pour moi, dis-je en feignant la plus cruelle des déceptions. C'est vraiment dommage… On se reprend une prochaine fois?

— Il y a une tige télescopique pour régler la hauteur de la selle.

Je souris de soulagement, mais c'est seulement pour cacher les vilains mots que je marmonne entre mes dents.

Thomas et moi chevauchons nos bicyclettes et roulons dans le quartier. Je pilote mon bolide sur deux roues en gardant la main appuyée sur mes cuisses. Si cette position me donne un air désinvolte, ce n'est pas volontaire. Je veux seulement éviter que ma jupe dévoile mes dessous au moindre coup de vent. Pas question que ma petite culotte devienne la risée du public.

Le dieu du guidon me demande si la vitesse de croisière me convient. Mes mollets surchauffent et ma langue pendouille comme celle du labrador en pleine canicule, mais trop orgueilleuse, je refuse de me plaindre. Je joue la cycliste émérite.

Chose que je regrette amèrement dix minutes plus tard. Mon maquillage est ruiné par les gouttes de sueur qui perlent sur mon front. Ma tentative de mise en plis est écrasée sous le poids de mon casque protecteur.

J'ai une soudaine envie de faire flamber cette bicyclette de malheur et de danser autour du feu comme dans un rituel tribal, mais j'imagine que carboniser les possessions de ma future belle-famille n'est pas la meilleure façon de gagner sa sympathie.

— On devrait finir par un sprint, propose Thomas. Tu me suis ?

— Certainement !

Je le suivrais au Groenland à la nage papillon. Sans gilet de sauvetage, ni costume de bain.

Je pédale à plein régime quand un insecte se met à bourdonner autour de mes oreilles. Pas une mouche à fruits qui se passionne pour les bananes bicentenaires du clan Saint-Louis. Non. Une bibitte de catégorie sumo qui a inexplicablement survécu aux premiers froids de novembre. Elle confond ma bouche avec un repaire pour bestioles, entre pour se réchauffer et étreint ma luette de ses pattes minuscules.

Secouée par une violente quinte de toux, je finis par expulser la bête. Mais ma victoire n'est pas sans conséquence. Distraite par ma collation involontaire, je ne vois pas la poubelle qui se dresse droit devant moi. Je fonce dans le conteneur qui bascule et recrache ses déchets puants sur le sol, puis je pique un plongeon spectaculaire parmi les ordures.

Désolant, c'est le mot.

Alerté par mon fracas du tonnerre, Thomas rebrousse chemin.

— Ça va ? Tu es blessée ?

Je décide alors de me cramponner au peu de dignité qu'il me reste. Au lieu de fondre en larmes comme à mon habitude, je me redresse courageusement. Mon genou gauche me cause des douleurs atroces. Malgré toute ma volonté, je boite comme un octogénaire, un handicap de taille quand on essaie de sauver les apparences.

— Ils devraient coller des bandes réfléchissantes sur les bacs. Ce serait plus sécuritaire.

Toute personne dotée d'un minimum de quotient intellectuel pourrait deviner la douleur infinie qui se cache sous cette blague de qualité discutable. À quoi bon jouer les fanfaronnes. Pour une rare fois dans ma vie, je décide d'être honnête.

Enfin, disons un peu plus que la normale.

— Je te laisse terminer l'entraînement sans moi. J'ai besoin de me reposer un peu.

Je me sers de la bicyclette comme appui, quand je sens un courant d'air frisquet au niveau de mon derrière. C'est la goutte qui fait déborder la piscine olympique : ma jupe est déchirée.

Recevoir une pluie de rebuts sur la tête, arborer

un maquillage inspiration panda, clopiner toutes fesses dehors en plein mois de novembre… Ce sont des choses qui arrivent, je suppose. Mais pourquoi faut-il que ça tombe toujours sur moi ?

Thomas insiste pour me raccompagner, ce que je refuse catégoriquement.

Pas question qu'il me voie une seconde de plus dans cet état. Pour m'en débarrasser, je promets de laisser le casque et la bicyclette de sa sœur sur le balcon familial, puis de rentrer sagement chez moi, en prenant soin de ne plus entrer en collision avec une poubelle. Il accepte ma proposition sans trop de résistance, comme quoi je peux parfois me montrer fort persuasive.

Après une courte halte chez les Saint-Louis, je poursuis ma route avec un sentiment de honte et de tristesse. La vie est parfois si injuste.

Non seulement il s'agissait de mon premier pseudo-rendez-vous avec le demi-dieu, mais les récents incidents me laissent croire que ce sera probablement le dernier.

LE DERNIER RECOURS DE LA MUTILÉE

Marisol ouvre la porte sur une créature hystérique qui dévore un ourson entre deux sanglots.

La créature hystérique, c'est moi. Et ma pauvre victime se compose exclusivement de gélatine et de sucre. J'avais oublié mon sac de bonbons dans une poche de mon manteau, probablement le seul filet de lumière dans mon trou noir existentiel.

— Qu'est-ce que tu fais ici ? Tu ne passais pas la soirée avec Thomas ?

— Mon entraînement a été un véritable fiasco ! dis-je avec une voix caverneuse incompréhensible pour les non-initiés.

Par chance, Marisol parle couramment le caverneux. Elle me guide vers le divan et me demande de lui raconter chaque détail de ma descente aux enfers. Du coup de fil de Vanessa à ma jupe fendue en passant par ma collision frontale avec une poubelle. Je ne lui épargne aucune horreur.

Ma thérapeute arpente le salon de long en large, comme si elle évaluait la gravité de la situation.

Inconscient des enjeux cruciaux qui se discutent, Hercule trotte sur les talons de sa maîtresse. Le charmant toutou peut détecter la présence d'une croquette au saumon enfouie dans les profondeurs du divan, mais quand vient le temps de mesurer le niveau de détresse ambiante, il a définitivement le flair en veilleuse.

— Je suis certaine que c'est moins pire que tu ne le dis, encourage poliment la spécialiste des amours désespérés.

— En fin de parcours, je pédalais si lentement qu'un vieillard nous a dépassés…

— Ce n'est pas une preuve convaincante. Tout le monde sait que le centenaire moderne entretient jalousement son corps de fossile, au lieu de se consacrer au tricot ou au bowling, comme le voudrait la tradition. Prends Roseline, par exemple. Elle est partie danser le tango avec un anonyme rencontré sur le web.

— Le type était en fauteuil motorisé…

Marisol me fixe sans rien dire, puis elle manifeste tout le support et la compassion dont elle est capable.

— Pouhahahahahaha !

Reprend son souffle.

— Hahahahahaha !

Hoquet. Snif. Snif.

Force est de constater que ma meilleure amie suit les traces de Celui-Dont-Je-Ne-Prononce-Plus-

Le-Nom en se magasinant un forfait spécial rancune avec bouderie illimitée…

— Je vais te chercher un pantalon, annonce Marisol en essuyant une larme au coin de ses yeux. Inutile de te sauver pendant mon absence. Même Hercule pourrait te rattraper.

Reprise du fou rire. Je choisis de ne pas riposter, ce qui prouve encore une fois que je suis une sainte martyre.

En attendant le retour de la ricaneuse insolente, je consulte mon horoscope dans le téléguide. Qui sait, les astres me conseilleront peut-être un grand ménage dans mes relations amicales…

Le passage de la Lune en Cancer encourage les plus folles audaces. Ne tremblez pas devant le changement. Il est temps de remplacer votre brosse à dents aux poils usés et de laver vos vieilles chaussettes, une métamorphose inspirée par la présence de Jupiter en Poissons, et vivement encouragée par votre voisin de métro.

— Tu vas arrêter de lire ces sottises? critique Marisol en déposant un jeans propre sur le divan. Tu devrais te concentrer sur un dossier beaucoup plus important: ton plan d'attaque pour le championnat de demain.

À la simple mention du mot championnat, mon

cœur cesse de battre. Je vois ma vie défiler, de mon premier vélo au divorce de mes parents en passant par ma rencontre avec le demi-dieu.

— J'envisage de tomber gravement malade et de tout annuler.

— Mauvaise réponse. Si tu veux briller aux yeux de Thomas, tu dois lui faire oublier ton accident honteux avec une poubelle et finir cette course sur tes deux jambes. Tu peux réussir. Je le sais ! Je le sens !

— Tout ce que je sens, c'est le brûlé…

— C'est probablement tes muscles qui surchauffent.

— Je suis sérieuse. Il y a quelque chose qui brûle.

Marisol retrousse son nez comme un lapin flairant une carotte. Elle bondit de sa chaise et fonce vers la cuisine avec la bravoure du pompier. La perspective de mourir carbonisée me rend beaucoup moins courageuse. Je traverse le nuage de fumée qui enveloppe la cuisine armée de mon verre de jus en guise d'extincteur.

Mon amie enfile des mitaines, ouvre la porte du four crématoire et sort une plaque de cuisson sur laquelle craquette une mince rondelle noire. Mon petit doigt me dit que, dans une vie pas si lointaine, ce tas de cendres était une pizza surgelée.

— C'est ce qui arrive quand Roseline flirte avec un danseur argentin au lieu de mettre la priorité sur mon alimentation, boude Marisol. Ce serait trop lui demander de se comporter comme une grand-maman normale et de me concocter du sucre à la crème, de temps à autre ?

Elle balance les vestiges de sa pizza aux ordures et abandonne la plaque noircie dans le lavabo.

— Pas question de se coucher le ventre vide, annonce-t-elle avec résolution. Tu dois prendre des forces pour remporter la compétition de demain. Tu vas voir. Je vais nous servir un souper digne des champions olympiques.

Je lui assure que je ne veux rien manger. Le trac me noue la gorge et les talents culinaires de Marisol me font craindre le pire pour mon estomac fragile.

Mes protestations restent sans écho. La reine des plats surgelés vide le garde-manger et accorde ses trouvailles au gré de ses inspirations. La cuisine se transforme en champ de bataille. J'assiste au carnage avec impuissance.

Satisfaite, mon amie applaudit le fruit de ses efforts gastronomiques. Un enthousiasme que je ne partage malheureusement pas.

Breuvage grumeleux qui empeste la pelouse fraîchement tondue, craquelins aux grains rustiques et au sarrasin biologique moulu sur pierre, potage froid aux légumes racines... De quoi nourrir une équipe de footballeurs granos.

— Je ne veux surtout pas te vexer, mais je refuse de toucher une seule de ces horreurs.

— Quoi ? Mais tu dois manger un repas nutritif si tu veux optimiser ta performance sportive !

— Je vais prendre des céréales au chocolat. Elles sont enrichies en vitamines et en minéraux.

— Tu sais quelle est la quantité de sucre qui se trouve dans ces cochonneries ?

— Pas du tout. Tu veux un bol ?

Marisol hume sa mixture granuleuse et hausse les épaules.

— Oui. Double ration.

Nous évacuons la zone sinistrée et trouvons refuge devant l'ordinateur familial. Marisol projette de débusquer quelques astuces de coureurs professionnels pour me préparer au championnat interscolaire.

— Tiens, regarde, une communauté de marathoniens qui échangent des tuyaux sportifs. Si je comprends bien leur théorie, il faut que tu laisses ton deuxième souffle prendre le relais pour courir plus vite et plus longtemps.

— Mon deuxième souffle ? Je ne suis même pas certaine d'en avoir un premier !

Cette curieuse fonction du corps humain me laisse sceptique. Je démarre une capsule vidéo pour en savoir davantage. Une femme en survêtement affirme, la tête haute et le mollet galbé, que le système anaérobique fournit la majeure partie de l'énergie au début de l'effort. Je devrais ainsi torturer chacune de mes articulations, et risquer de mourir par suffocation, avant que le moteur aérobique prenne le dessus.

Je médite ce charabia sportif en croquant bruyamment mes rondelles chocolatées quand une fenêtre de clavardage apparaît au bas de l'écran.

Jade Cardin: J'ai des infos sur Vanessa. Qu'est-ce que tu m'offres en échange?

La réaction raisonnable serait de repousser cette tentation malsaine en éteignant l'ordinateur. Pourquoi me faire du mal avec des rumeurs auxquelles je ne peux rien changer?

Malheureusement, je ne suis pas une fille raisonnable. Mes parents me le reprochent chaque jour. Je supplie donc Marisol de marchander avec la diablesse. Peu importe son prix.

— Il ne reste plus aucun autographe dans ma réserve de pots-de-vin, mais j'ai un billet de cinq dollars. Et toi?

Je gratte le fond de mes poches comme si ma vie en dépendait. La récolte est maigre: quelques bonbons, des miettes de provenance inconnue, une pince à cheveux... Il me reste une seule alternative: casser mon petit cochon. Je gardais mes économies (13,44 $) pour me payer des traitements orthopédiques, une fois que mes genoux auront été broyés par tous ces joggings malsains, mais mon allocation de crève-faim ne me permet pas de réaliser le projet avant juin 2087.

Tant pis pour mes rotules ! Je propose à Marisol de faire une offre.

Marisol Langevin : J'ai 18,44 $ et un sac de jujubes entamé. À prendre ou à laisser.

Le suspense est insoutenable. Même Jean-Simon se grignoterait les cheveux.

Jade Cardin : Marché conclu. Tiens-toi bien : Vanessa veut passer la vitesse supérieure.

Marisol Langevin : Elle veut changer sa connexion Internet ?

Jade Cardin : Pourquoi est-il impossible d'avoir une conversation normale avec toi ? Bien sûr que non ! C'est une image. Ma cousine veut former un couple avec Thomas. Elle compte provoquer les choses, et pas plus tard que demain.

Une rondelle au chocolat se coince dans ma gorge.

Marisol Langevin : Comment ?

Jade Cardin : Dieu seul le sait...

La taupe disparaît brusquement des contacts en ligne, question de montrer que le sujet est clos.

Elle a la sortie dramatique.

— Je trouve que ses renseignements nous reviennent cher la syllabe…, regrette Marisol.

En toute honnêteté, je me fiche de la rentabilité de notre investissement. Je suis pétrifiée. Si notre rivalité amoureuse était une épreuve sportive, Vanessa grimperait sur le podium, alors que je serais toujours en train de nouer mes lacets dans le vestiaire.

Mes sombres pensées sont interrompues par un long grincement de porte. Roseline entre sur la pointe des pieds, dépose silencieusement ses bottes sur le paillasson et longe les murs pour ne pas se faire remarquer par sa descendante.

Peine perdue. Ma meilleure amie a les sens aux aguets et le cœur plein de reproches.

— Pas si vite Mamouchka… Il est 20 h 33. Tu m'avais promis de revenir vers 19 h, tout de suite après le cours de danse ! Ce serait trop demander de me téléphoner quand tes plans changent en cours de route ? Je me faisais du mauvais sang !

— Alfonso m'a invitée à souper, explique la grand-maman. Je ne voulais pas te déranger pour quatre-vingt-treize minutes de retard. Et la batterie de mon cellulaire était morte.

— Mauvaise excuse ! Je suis certaine que le restaurant avait une ligne téléphonique, accuse-t-elle en bondissant de sa chaise comme si elle était éjectable. Je ne connais pas cet Alfonso. Je t'imaginais ligotée dans le coffre d'une voiture ou inconsciente dans un caniveau.

— Je suis navrée, ma pouletteski, mais tu dois apprendre à me faire confiance. Tout ira bien, je suis une femme prudente et responsable. Et dans mes cours d'autodéfense, je suis la meilleure pour exécuter la prise du cobra qui tousse.

La ninja octogénaire nous fait une démonstration de sa tactique favorite. Elle conclut son spectacle en poussant un hurlement de karatéka, puis elle danse vers la cuisine dans un mouvement que la politesse ne permet pas de qualifier.

Cri de stupeur de la super-mamie.

— Au secours ! Des cambrioleurs végétaliens ont dévalisé le garde-manger !

— Je devais bien cuisiner quelque chose, si je ne voulais pas mourir d'inanition, justifie ma complice en regagnant son poste de travail. Et par la suite, j'étais si anxieuse de ne pas te voir rentrer que je n'ai pas eu la force de nettoyer…

— Bonne nouvelle, alors. On dit que les tâches ménagères sont excellentes pour apaiser les nerfs fragiles. Je te laisse donc la vaisselle. Un petit cadeau pour me faire pardonner mon retard.

Rires étouffés de Roseline.

Pour toute réponse, sa victime pousse un grognement boudeur. Mon amie sait reconnaître quand elle a perdu la bataille.

Elle retourne au clavier pour continuer sa recherche scientifico-sportive et son exploration du monde obscur de la préparation physique.

— J'ai une solution ! lance-t-elle en bondissant de sa chaise. Il faut faire le vide dans ton esprit pour mieux le conditionner à la victoire. La méthode est clairement expliquée ici, dans ce site sur l'hypnose pour les nuls.

Je n'en crois pas mes oreilles. Marisol envisage de me calmer en manipulant mon inconscient. Je ne suis pas certaine qu'il soit sage de lui confier mon cerveau. Elle pourrait me convaincre de chanter l'hymne national en créole, debout sur la chaise du balcon, avec une passoire sur la tête. Accidentellement, bien sûr.

L'apprentie hypnotiseuse tamise les lumières, allume une chandelle parfumée et glisse une de ses bagues dans une cordelette.

Elle m'ordonne de m'allonger et agite son pendule improvisé au-dessus de mon nez :

— Prends une grande inspiration et retiens ton souffle pendant dix secondes, prononce Marisol sur un ton monocorde. Expire par la bouche, complètement et lentement. Avec chaque inspiration, tu te sens plus paisible, plus détendue. Ferme les yeux. Tu te trouves sur la piste de course de l'école. Le vent souffle dans tes cheveux. Le soleil réchauffe doucement ta peau.

Je réprime un fou rire et tente de me concentrer sur les paroles de mon amie. Je ne crois pas que l'hypnose à la sauce Marisol puisse vraiment fonctionner, mais je sais pertinemment qu'elle est assez soupe au lait pour me renier en cas de moquerie.

Je me laisse guider par la voix soporifique de ma gourou. Je vois les estrades remplies de spectateurs en délire. Je contemple le ciel bleu. Je sens le sol craquer sous mes pas.

Puis je la vois, elle, Vanessa, qui me fait le signe de la gorge tranchée. Cette vision cauchemardesque n'est pas une suggestion de Marisol, mais plutôt un flash post-traumatique qui témoigne de mon esprit tourmenté.

J'ouvre les yeux.

— Je ne comprends pas pourquoi Vanessa s'entiche de Thomas.

— Si toi tu ne comprends pas, alors personne ne le peut, soupire mon amie excédée.

— Ce n'est pas ce que je voulais dire. Normalement, les filles populaires comme Vanessa ou Jade s'intéressent aux rebelles mystérieux ou aux joueurs de football. Pas aux coureurs de cross-country…

— Pourrais-tu te concentrer sur le pendule ?

La séance reprend de plus belle. Au troisième fou rire étouffé, l'hypnotiseuse déclare forfait. Elle met son échec sur le dos de mon esprit fermé et obtus. Personnellement, je crois plutôt que ses compétences sont en cause, mais je décide de ne pas exposer ma théorie.

Mon amie a peut-être perdu un combat, mais elle ne s'avoue pas vaincue pour autant. Elle tente ensuite les techniques de visualisation sportive, puis la méditation transcendantale et enfin, elle me concocte un philtre d'amour. Même Roseline y met son grain de sel et nous fait réciter une petite incantation maya censée attirer la foudre sur les forces du mal, c'est-à-dire sur Vanessa.

Une heure plus tard, je suis exténuée par toutes ces manœuvres ésotériques. Je ne me doutais pas que la séduction sportive était une occupation à temps plein. Malgré toutes ces tentatives de sciences occultes, mon moral est au plus bas. Il faut que je me rende à l'évidence: courir sans tricher équivaut à se jeter dans la fosse aux lions avec l'espoir fou de les convaincre à temps de devenir végétariens.

Je craque.

— Je n'y arriverai jamais! Je vais m'écrouler à la moitié du trajet, et Thomas me verra comme une ratée.

— Ne te décourage pas. L'amour peut de grandes choses.

Marisol a peut-être raison. L'amour peut de grandes choses. Au fond, tout ce qui me reste à faire, c'est de me débarrasser de Vanessa, convaincre Thomas que je suis son âme sœur, survivre à une épreuve athlétique pour laquelle je ne suis absolument pas qualifiée et convaincre madame Hilton de ne pas me faire renvoyer pour honte sportive devant toutes les écoles de la commission scolaire.

Le tout en moins de vingt-quatre heures.

C'est possible, non ?

JOUR J

(COMME : JE VAIS MOURIR !)

L'AMOUR AVEC UN GRAND « AÏE ! »

Je me réveille avec un nœud dans l'estomac que même un vieux marin serait incapable de défaire. Trop nerveuse pour avaler quoi que ce soit, je me contente de parcourir le journal en quête de soutien astral.

Quelle n'est pas ma surprise de trouver un billet jaune collé directement sur les prévisions de mon signe astrologique :

Vous êtes persévérante et douée. Vos efforts porteront leurs fruits et vous réaliserez tous vos rêves. Vous terminerez votre course de cross-country avec brio et conquerrez les plus hauts sommets. Souvenez-vous surtout que votre papa est toujours fier de vous et qu'il vous aime malgré votre tête de cochon.

Impossible de ne pas reconnaître l'écriture en pattes de mouche de mon père. Depuis quelques jours, je pars de la maison avec la page des horoscopes sous le bras. Le fin observateur qu'il est souhaite visiblement utiliser ma dépendance pour fissurer mon mur du silence.

Je dois dire que ses projections sont bien plus pertinentes que celles de Madame Irma, la voyante charlatanesque du journal. Excepté le truc sur la tête de cochon. Là, je ne vois aucun rapport.

Soyons honnêtes. Je lui en veux toujours pour son manque de jugement. Et si je verse une larme, en ce moment, c'est uniquement parce que je pense aux paroles d'une chanson triste qui passait chez le dépanneur, mardi dernier.

Ma faiblesse n'est pas du tout liée à sa charmante tentative de réconciliation. En fait, si je devais chiffrer précisément la source de mon émotion, je dirais peut-être 51 % chanson, 49 % réconciliation.

Bon, d'accord. Je veux bien annuler ma sentence de mutisme. Mais mon acte de pardon est conditionnel. La moindre entorse aux droits et devoirs du bon parent lui vaudra une terrible vengeance, incluant la coloration de mes cheveux en turquoise et un tatouage tribal couvrant la moitié de mon dos. Les deux changements seront bien sûr temporaires, mais mon père n'en saura rien.

Le reste de la journée se déroule dans un climat de haute tension. Inutile de vous dire que la concentration n'était pas au rendez-vous. Pendant le cours de maths, au lieu de méditer sur les équations algébriques, j'échafaudais différents scénarios qui me permettraient de ne pas courir en fin de journée, et accessoirement, de conserver mon genou droit pour encore quelques années :

STRATÉGIES POSSIBLES

1. Tricher en empruntant un raccourci, prise deux. Dans quelques heures, toutes les écoles de la commission scolaire envahiront le collège pour le championnat. La direction et les professeurs, nerveux, seront soucieux de faire bonne impression. Du coup, ils nous surveilleront avec la plus grande des vigilances. Verdict : 2 / 10.

2. Engager une doublure qui accepterait de courir pour moi. Au cas où je trouverais ledit sosie, il faudrait que je puisse rémunérer ses services. Comme mes économies ont été investies dans des informations de qualité discutable, une gracieuseté de notre merveilleuse agente double Jade Cardin, je serais dans l'obligation de vendre mon rein gauche au plus offrant. Verdict : 3 / 10.

3. Déclarer forfait pour cause de blessure. A priori, le projet semble facilement réalisable. Un malheureux accident avec une scie sauteuse est si vite arrivé. Le hic, c'est que je suis un peu douillette de nature. Une simple coupure de papier me fait pleurer. Sans compter que je ne tiens pas à ce que Thomas conserve le spectacle de la veille comme unique souvenir de moi. Cette compétition est probablement ma seule chance de redorer mon image avant que Vanessa ne vienne tout bousiller. Verdict : - 1 / 10.

Le tableau est clair. La doublure est ma seule échappatoire. Perdre un rein pour sauver la face et le genou… Le dilemme mérite réflexion.

En attendant que je tombe par hasard sur ma copie conforme version sportive, mieux vaut me concentrer sur le fait que je devrai probablement courir le trajet de deux kilomètres. Surtout que la course doit commencer dans vingt-deux minutes et quarante-six secondes.

Je range mon sac de sport dans un casier quand Sergent Marisol entre dans le vestiaire et me livre son dernier rapport de surveillance.

— Toujours rien à signaler. Vanessa bavarde avec une copine et Thomas n'est pas dans les parages. Il doit se préparer pour la compétition. JS a pris le relais et espionne les filles à la cafétéria. Il en profite pour se gaver de muffins au chocolat.

Depuis ce matin, mes deux complices espionnent le boa constrictor. Ils notent tout ce qui pourrait confirmer ou démentir la formation du couple maudit. Ils n'ont rien vu. Pas même un rapprochement dieu-reptile. Je commence à soupçonner Jade de colporter de fausses rumeurs pour renflouer sa tirelire.

Je sors dans la cour arrière et trottine vers la piste de course en compagnie de Marisol. Elle insiste pour tenir ma gourde sous prétexte que je dois économiser mes forces. Les autobus jaunes déversent leur cargaison de coureurs aguerris dans le stationnement. Leur mine confiante contraste avec mon teint de morue.

Je me console en me disant que ma nervosité n'est rien comparée à celle de madame Hilton. La pauvre est carrément hystérique. Pour la tortionnaire en chef, l'important n'est pas de participer, ni même de gagner.

Il faudrait plutôt pulvériser l'adversaire.

— Chaque année, un élève de notre collège grimpe sur le podium. Que cette course ne soit pas une exception. Dépassez-vous, allez au bout de vos limites, transpirez de tous vos pores, ressentez la souffrance dans chacune de vos articulations ! Aucune excuse ne sera admise, même si le sang coule à flots. Ne me faites pas honte !

Notre coach termine son excellent discours de motivation en tapant trois fois dans ses mains. Les rangs se dispersent avec une efficacité presque militaire.

Marisol, qui assistait aux encouragements, est livide.

— Tout va bien aller, martèle mon amie comme un slogan publicitaire.

Des sifflements joyeux fusent des estrades. Je crois discerner mon nom parmi les vivats du public. C'est probablement une hallucination auditive causée par le stress, mais je décide de vérifier mon hypothèse en scrutant la foule.

Je surprends Vanessa en train de me dévisager en compagnie de sa trinité reptilienne. Pas du tout intimidée d'être surprise en flagrant délit de condescendance, ma rivale me gratifie de son sourire le plus méprisant. Je tente de rester zen. Ne pas me laisser atteindre par son insolence. Ne pas me laisser abattre par ses manigances. Survivre au championnat nécessite toute ma concentration et je ne suis pas une fille agressive. Enfin, mis à part cette soudaine envie de lui envoyer ma gourde en plein visage.

Je remarque ensuite Jean-Simon, assis un gradin plus haut. Il garde une place pour Marisol.

— Vas-y, Émiliiiiie !

Cette fois, je ne rêve pas. Un spectateur veut définitivement attirer mon attention. Pourtant, les mots ne retentissent pas de la bouche de mon ami. Ils proviennent d'un peu plus loin.

De mon père, plus exactement.

Comme un malheur n'arrive jamais seul, mon partisan inconditionnel est accompagné de Marion, Roseline, Kelly-Ann, Tim et Lucas.

Je n'en crois pas mes yeux. J'avais pourtant pris soin de mentir sur l'heure et le lieu de la course. Je ne voulais pas leur imposer ma piètre performance et couvrir ma famille de honte pour les dix prochaines générations.

Et vice-versa.

Marisol est forcément responsable de cette trahison, une hypothèse que me confirme son regard fuyant.

— Je suis désolée ! Ton père était vraiment insistant et je me suis dit que tu aurais besoin de support.

Côté encouragements, les membres de mon fan-club ne donnent effectivement pas leur place. Ils font plus de vacarme qu'un stade bondé durant un match éliminatoire. Roseline souffle dans une vuvuzela rouge et les jumeaux brandissent une affiche bricolée de leurs petites mains habiles. Si ma vision est bonne, les artistes en herbe me représentent avec des souliers cracheurs de feu et une tête difforme qui flotte parmi les étoiles. Mes yeux picotent comme si je venais de les frictionner avec un oignon. Mais qu'est-ce qui me prend aujourd'hui ?

Même Kelly-Ann a mis sa dépression en veilleuse pour grossir les rangs de mes supporters.

Bon, dans les faits, elle a les yeux rivés sur son téléphone intelligent et se dandine en soupirant comme si elle était assise sur un tapis de fakir, mais elle est tout de même sortie de la maison, ce qui est un miracle en soi.

Marisol part rejoindre Jean-Simon dans les estrades. Je fais quelques étirements pour me donner bonne conscience, puis je poireaute sur la ligne de départ avec le reste de la meute. Je remarque

Thomas dans la foule compacte. Le surhomme aux bas immaculés me salue d'un mouvement de la main. Au comble du bonheur, je lui retourne la politesse, quand je réalise qu'il voulait seulement nouer ses lacets.

Bravo, Émilie. Belle analyse de la situation.

Je fais mine de me gratter la tête en priant le ciel pour que personne ne remarque ma maladresse, puis j'attends le départ avec impatience. Qu'on en finisse une fois pour toutes.

Madame Hilton abrège mon supplice et donne le coup de sifflet fatidique. Le troupeau part au galop. J'entame mon premier tour de piste quand je sens une main qui me touche le dos. Thomas me dépasse et me souhaite bonne chance.

Cette fois, je ne me trompe pas. Le bel athlète me décoche même un sourire qui ferait fondre le plus imposant des glaciers arctiques. Mes jambes avancent, mais je ne cours plus. Je flotte, je plane, je vole ! L'amour me donne des ailes.

Mon extase est de courte durée. Une agitation inhabituelle en provenance des estrades me fait revenir sur terre. Debout dans les gradins, Marisol et Vanessa ont un échange musclé. Je ne sais pas quelle en est la cause, mais ma meilleure amie voit rouge. Il aurait fallu être daltonien pour ne pas s'en apercevoir. Qu'est-ce qui se trame encore ?

Témoin involontaire de la dispute, Jean-Simon me fait une série de signes qui ne sont pas sans rappeler ceux des receveurs au baseball. Malheureusement pour lui, mes connaissances dans ce sport sont rudimentaires. Entre deux respirations sifflantes, je lui exprime mon incompréhension en haussant les épaules.

Jean-Simon ne se décourage pas. Alors que les cris de ses voisines attirent les regards, mon ami descend les gradins et m'attend au pied du sentier boisé. La plupart des coureurs ont déjà quitté la portion goudronnée du trajet pour se perdre dans la nature. Il me reste encore un demi-tour de piste avant d'en faire autant. Je me distance dangereusement du peloton.

Quatre minutes et trois insuffisances cardiaques plus tard, je croise enfin Jean-Simon.

— Marisol est hors de contrôle, déclare mon ami en trottinant au même rythme que moi. Vanessa se moquait de tes aptitudes physiques avec ses amies. Je ne te répéterai pas ses propos, ton estime est déjà en dessous du niveau de la mer. Je dirai seulement que Marisol a pris ta défense et qu'elle a parié que tu franchirais le fil d'arrivée.

— Pauvre Marisol… Elle va perdre sa mise. Et toi, qu'est-ce que tu as dit ?

— Rien. Je préférais venir te raconter la chose au plus vite. Et surtout, je voulais vérifier si Vanessa avait raison en affirmant que tu haletais comme un saint-bernard.

Pff ! Je voudrais bien la voir conserver une respiration digne et paisible, alors que ses poumons menacent d'imploser dans sa poitrine. Encore faudrait-il que Vanessa soit en mesure de tenir plus de cinq secondes sur ses échasses vertigineuses, une acrobatie qui me semble humainement impossible.

Au lieu de retourner dans les estrades afin de profiter tranquillement du spectacle, le porteur de mauvaises nouvelles maintient la cadence.

— Tu veux me faire part d'une autre insulte ?

— Pas pour le moment, non.

— Je peux savoir ce que tu fais, alors ?

— Je cours avec toi, annonce fièrement Jean-Simon, comme s'il venait de me fournir une explication limpide. Quand il est question de sport, je ne prends jamais pour les favoris. Ce serait trop facile. Conclusion, il est hors de question que tu abandonnes, Émilie Robinson. Je suis très mauvais perdant.

Est-ce que je me trompe ou Jean-Simon vient de sous-entendre en langage semi-crypté qu'il croit en ma victoire ? Son esprit cynique lui interdit probablement de formuler son affection comme une personne normale, mais au fond, sa présence me va droit au cœur. Une grande loyauté se cache sous son apparente mauvaise foi.

Ma motivation tourne à plein régime. Courir en duo m'insuffle une nouvelle énergie. Dans ma tête, j'entends un commentateur sportif analyser ma performance en temps réel :

« *Robinson dépasse le pont chancelant. Elle avance comme un bombardier supersonique. Imposante. Redoutable. Elle franchit maintenant la moitié du trajet.* Qui *l'aurait cru ? Elle est sur le point de fracasser son record personnel. Oh ! Surprise ! Robinson vient de dépasser un autre coureur. On m'informe que ce serait le premier dépassement de sa jeune et prometteuse carrière. Attendez un instant… Que se passe-t-il ? Il semble que son genou gauche, une blessure de longue date, fasse encore des siennes.* »

— Ne ralentis pas, ordonne Jean-Simon en constatant le retour de ma faiblesse rotulienne. Ton esprit est plus fort que ton corps. Concentre-toi sur le soleil qui brille, les oiseaux qui gazouillent…

Je suis la directive de mon partenaire de course. Si je lui ordonne de bouger, mon corps ne peut que suivre. Mon cerveau est le seul maître aux commandes.

Je crache comme un fumeur chronique. Je siffle comme un pinson agonisant. Je pourrais facilement embouteiller la sueur qui dégouline de mon front. Bref, je suis dans un sale état.

On ne peut pas en dire autant de mon accompagnateur. Jean-Simon est aussi frais et fringant que s'il faisait une marche de santé avec son arrière-grand-maman.

— Tu… ne sembles… même pas… essoufflé !

— Je cours depuis cinq minutes. Ce n'est quand même pas un marathon.

Dommage que mes jambes ne partagent pas sa vision des choses. J'essaie de me changer les idées en imaginant Thomas souriant sur la piste de danse, Thomas sur une planche de surf, Thomas courant sur une plage… Mes efforts restent vains. Je suis incapable de faire abstraction de mes douleurs musculaires. Le constat est cruel. Non seulement, mon corps est le pire citron de la race humaine, mais en plus, je suis faible du ciboulot !

Le collège approche. Je ne vois ni les estrades ni les autobus, mais une poignée de spectateurs qui encouragent les derniers coureurs aux abords du sentier.

Coincée entre deux colosses inconnus, Marisol sautille sur place et nous fait de grands mouvements de bras.

— Tu peux ralentir le rythme, crie-t-elle à Jean-Simon. C'est mon tour.

Ma meilleure amie part au trot, poursuivant ainsi la plus étrange des courses de relais.

— Je viens de recevoir un message texte de Jade. Vanessa compte embrasser Thomas à la fin de la course. Elle veut officialiser leur couple devant tout le monde. Si tu n'arrives pas à temps pour l'intercepter, c'est foutu.

Cette annonce me fait l'effet d'un électrochoc. Je me sens renaître tel un shiitake séché que l'on asperge d'eau bouillante. Je défendrai ma cause perdue, envers et contre tous.

— Courage, scande Marisol! Ton deuxième souffle est sur le point de s'enclencher.

Je résiste encore quelques enjambées, mais la magie n'opère toujours pas. J'en ai ma claque de cette histoire de respiration secondaire. C'est un mythe, une légende urbaine, une invention sadique destinée aux sportifs agonisants. Si ça se trouve, mon deuxième souffle est en train de prendre le thé avec le monstre du Loch Ness et le Bonhomme Sept-Heures.

Les images se brouillent. Les bons mots de Marisol ne sont plus que des sons indistincts. Mon genou récalcitrant est sur le point de sortir de son articulation. D'ici une minute, il ne restera de moi qu'une flaque de sueur sur le sol. Les larmes me montent aux yeux. Je vais m'effondrer quelques pas avant la fameuse ligne jaune.

Je ne peux imaginer pire scénario. Marisol a perdu son pari, Jean-Simon a perdu son flair sportif, et moi, j'ai perdu ma seule et unique chance de vivre le grand amour.

Le destin est cruel.

Ma jambe flanche. Je me laisse tomber sur le sol. Le verdict est sans appel : ma rotule est perdue, finie, broyée par tous mes efforts. La ligne d'arrivée me nargue par sa proximité. Je me sens comme les jumeaux qui ne peuvent atteindre le pot de biscuits sur le comptoir. Dans les estrades, mon fan-club redouble ses encouragements. Même Kelly-Ann ne louche plus vers son téléphone. Sa batterie est probablement morte.

— Abandonner… Genou… Échec… Suffoque… Adieu…

Je ferme les yeux sur une image de Vanessa qui rayonne de satisfaction. L'avantage de mon coma imminent, c'est que je n'aurai pas besoin de supporter longtemps l'étalage de son bonheur avec Thomas. Ni de subir les représailles sanglantes de madame Hilton.

— Il n'est pas question que tu te fasses traiter de perdante à titre posthume, brandit ma partenaire, le poing dans les airs. Tu finiras cette course sur une victoire personnelle ou je ne m'appelle pas Marisol Langevin !

Au même moment, Jean-Simon arrive en joggant.

— Vous êtes au courant que le cross-country est une course, pas une promenade dans les bois pour cueillir des champignons ? ironise-t-il en faisant du surplace.

— Arrête de jouer les sportifs émérites, ordonne Marisol. Il faut aider Émilie.

Je ne sais pas quelle méthode de persuasion ils comptent employer, mais toute négociation sera inutile. Peu importe les menaces. Peu importe les promesses. Peu importe les techniques de respiration hindoue transcendantale. Il m'est physiquement impossible de bouger.

Marisol ne dit rien. Elle croise simplement les bras. Jean-Simon imite son geste et lui adresse un sourire entendu. Mes amis joignent les mains pour former une chaise humaine improvisée.

La plus belle et la plus solide que j'aie jamais vue.

Assise sur mon trône, je me sens comme la reine des estropiés. Plus rien ne peut m'atteindre. Je suis invincible. Peu importe les attaques du clan ennemi, j'aurai toujours mon armée de valeureux soldats prêts à défendre mon honneur.

Mes deux guerriers claudiquent maladroitement sur la piste, puis nous franchissons la ligne jaune comme un étrange monstre à trois têtes.

Dans les estrades, mes six supporters applaudissent à tout rompre. Marisol et Jean-Simon me déposent sur un banc et se tapent dans les mains pour souligner ce triomphe inespéré. Seule madame Hilton ne semble pas ravie-ravie de cette petite ruse à la limite de la tricherie.

Les professeurs d'éducation physique se réunissent en caucus et entament de longs pourparlers. Rien ne semble les avoir préparés à affronter une telle situation. Devant l'absence de règlements officiels interdisant la chaise humaine en fin de course, ils décident de ne pas me disqualifier. Un maigre prix de consolation.

En fier représentant de notre école, Thomas a battu son record personnel. Il se tient au pied du podium pour recevoir sa médaille de bronze, plus beau et inaccessible que jamais, surtout pour une éclopée de mon espèce. Vanessa tourne autour de lui comme un anaconda qui projette de bondir sur sa victime.

En moins de temps qu'il ne faut pour dire « ouf! », mon futur mari se transforme en collation pour reptile. Incapable de réfréner plus longtemps ses ardeurs, Vanessa lui saute au cou et réalise la prophétie de Jade. Les tourtereaux échangent des piscines de salive sous les regards curieux de la foule en délire. On jurerait qu'ils s'entraînent pour le marathon en apnée.

Voilà. Les jeux sont faits. Vanessa gagne sur toute la ligne.

Madame Hilton exige le silence pour la remise des prix. Les amoureux se détachent dans un bruit de ventouse. Vanessa irradie comme une ampoule fluo. Mes pulsions les plus noires me dictent de lui perforer les yeux avec ses talons aiguilles, mais je me retiens. Les jumeaux me fixent avec attention. Je ne voudrais surtout pas alimenter leurs instincts criminels.

Bon capitaine, David me rejoint sur le banc de la honte.

— Désolé pour ton genou. Madame Hilton fulminait, surtout qu'un autre coureur de l'équipe a déclaré forfait en raison de son asthme. Heureusement, Tom était dans une forme épatante. Il court toujours plus vite quand il a une fille en vue.

— Il doit souffrir de myopie chronique pour avoir Vanessa en vue, marmonne Marisol.

— Je ne sais pas trop ce qui se passe avec Vanessa, reconnaît le jeune homme, mais Tom m'avait plutôt parlé d'une fille qui gonfle les pneus à domicile et fonce dans les poubelles avec son vélo.

Silence général.

Les données transitent vers mon cerveau. David semble espérer une réaction plus enthousiaste chez son auditoire.

— Pensais-tu vraiment que la livraison à domicile des chandails était un service offert à tous les membres de notre équipe ?

Je reste sans voix. Les yeux de Marisol sont si exorbités qu'ils sont sur le point de rouler sur le sol. Thomas ne me trouvait donc pas ridicule.

Ou alors si peu.

Les questions tourbillonnent dans ma tête. Pourquoi Thomas ne m'a-t-il rien dit au lieu de me lancer des messages subliminaux en langage binaire? Pourquoi crache-t-il sur notre amour naissant en se laissant embrasser par une vipère?

Je n'ai pas la force de trouver de réponses. Je préfère encore me raccrocher à la seule lueur de ma sombre journée: Thomas avait une fille en vue, et cette fille, c'était moi.

Au final, Vanessa n'aura pas gagné sur toute la ligne.

ÉPILOGUE

Personne ne sera surpris d'appprendre que je ne fais plus partie de l'équipe de cross-country. J'ai raccroché mes souliers de course, comme on dit dans le milieu. J'avais beaucoup couru, ces derniers temps, et je ne voulais surtout pas que cette nouvelle lubie devienne une habitude.

Ma vie a repris son cours normal.

Madame Hilton me surnomme la « faiblarde du genou », entre deux mauvais services de volleyball. Roseline explore les vastes possibilités que lui offre le *speed dating*. Kelly-Ann pleure les derniers souvenirs de son amour brisé dans les bras d'un danseur de ballet serbo-croate.

Et pour ceux qui se le demandent, Vanessa sort avec Thomas depuis seize jours. Comme quoi ma vie n'est pas une comédie romantique avec une fin à la sauce hollywoodienne. Elle est une comédie tout court. Parfois, c'est même un film d'horreur, comme hier, quand les jumeaux ont rempli mon tiroir à chaussettes de shampoing aux fruits de la passion. Mes demi-frères voulaient leur donner un doux parfum exotique.

Selon les experts en psychologie masculine (c'est-à-dire Jean-Simon et Marisol), Thomas attendait un signe concret de ma part. Devant mes propos vides de sens et mes silences consternants, il aurait capitulé pour Vanessa. Bien sûr, ce sont de simples spéculations.

Surtout pour la partie des propos vides de sens et des silences consternants.

Je pourrais probablement lui faire une grande déclaration et tenter de briser son couple maudit, mais je ne suis pas trop en faveur de ce genre de tactique discutable. Connaissant les penchants hystériques qui circulent dans la famille de Jade Cardin, il ne faudrait surtout pas minimiser le risque que sa cousine me supprime dans mon sommeil, si je lui vole impunément son homme.

Bref, le jeu n'en vaut pas la chandelle. Je peux attendre mon tour. Car mon petit doigt me dit que mon histoire avec Thomas n'est pas vraiment terminée…

Du moins, c'est ce que mon horoscope racontait ce matin.

REMERCIEMENTS

Aux lecteurs téméraires qui envisageraient de lire mes remerciements, je vous conseille de vous asseoir confortablement et de vous servir un double expresso. La liste est longue.

Je souhaiterais donc remercier :

Nico, qui veille sur notre petit monde alors que je suis plongée dans le mien.

Émile et Rose, qui me poussent hors du lit à 5 h 30 tous les matins. Sans exception.

Véro, qui me livre des plats faits maison même en pleine tempête de neige. Merci subsidiaire à PL, son chauffeur privé et cuistot associé.

Arianne, qui m'a confirmé que les bas blancs étaient à mourir de honte.

Marjolaine, qui porte chaque jour des bas non agencés. Volontairement.

Gen, qui me fournit des petits bijoux littéraires pour inspiration.

Nanny, qui aime tellement mes livres qu'elle fait de la vente sous pression auprès des clientes du salon de coiffure.

Mes parents et beaux-parents, qui débarquent chez nous en renfort pour divertir leurs tendres héritiers.

Alice, qui a astucieusement glissé les mots *pantalonnade*, *topinambour* et *Ryan Gosling*.

Marie, qui a lu mon premier jet sans ronfler sur sa copie.

Pietro Ferrero, qui a inventé le Nutella.

À vous tous et plus encore, merci. Je vous dois ma persévérance et mon inspiration.

BIOGRAPHIE

Adolescente, Julie Champagne maniait le ballon comme une bombe atomique et inventait des scénarios rocambolesques pour être dispensée de cours d'éducation physique. Heureusement, elle est devenue une adulte raisonnable et ne fait plus la honte des sportifs de son entourage. Ou alors si peu.

LE PROCHAIN FIASCO...

Lorsque Adam annule leur rendez-vous galant, Marisol entre dans une colère noire: cet acte de haute trahison nécessite une opération d'espionnage immédiate!

Émilie gagnera-t-elle un jour
le cœur de son demi-dieu?

Pour connaître toutes les primeurs:
www.facebook.com/lescouadefiasco

Achevé d'imprimer
en octobre deux mille treize, sur les presses
de l'imprimerie Gauvin, Gatineau, Québec